Cyfrinach y Lludw

T. Llew Jones

GOMER

Argraffiad newydd—Mawrth 1994

ISBN 1 85902 082 8

ⓗ T. Llew Jones

Dymuna'r cyhoeddwyr gydnabod cymorth
Adrannau'r Cyngor Llyfrau Cymraeg.

Argraffwyd gan
J.D. Lewis a'i Feibion Cyf. Gwasg Gomer, Llandysul, Dyfed

RHAGAIR

Un arall o'r 'achosion' o lofruddiaeth y bu'r enwog Sarjiant Tomos, Cwrcoed yn gysylltiedig ag ef yw *Cyfrinach y Lludw*.

Mae'r Sarjiant yn awr wedi ymddeol o'r Ffors, wrth gwrs, ac yn byw'n dawel yn ei fyngalo newydd tu allan i bentre bach Cwrcoed. Ei hoff waith yn awr yw cadw gwenyn, a garddio tipyn yn ei bwysau.

Un o achosion *cynnar* y Sarjiant yw'r un a drafodir yn y llyfr yma, ac nid yw'n un y bydd ef yn hoffi sôn amdano yn aml iawn. Pam? Wel, am mai rhywun arall—ac nid ef ei hun—a lwyddodd i ddatrys *Cyfrinach y Lludw*!

1

Hydref oedd hi ac eisteddai Henri Teifi Huws, meistr Plas y Gwernos, ar y feranda yn edrych allan ar y glaw'n disgyn ar y lawnt a'r gerddi. Roedd diflastod yr hydref o'i gwmpas ym mhobman. Disgynnai'r dail crin yn gyson o'r coed hynafol, gan ffurfio carped gwlyb dros y lawnt a'r llwybrau i gyd, a chwynai'r gwynt yn y canghennau hanner-noeth.

Er bod Henri Teifi Huws yn gwylio prydferthwch yr haf yn dadfeilio, ac er bod tipyn o dristwch yr olygfa wedi treiddio i'w galon, eto i gyd, meddwl am bethau eraill a wnâi ef wrth eistedd yno o dan y feranda'r diwrnod hwnnw.

Fan draw gallai Henri Teifi Huws weld yr hen Gyrnol Lewis, y 'Lodge' yn taflu rhywbeth i'r hanner dwsin o ieir oedd wedi tyrru at ddrws y cefn i geisio tamaid cyn mynd i glwydo.

Gwenodd gŵr bonheddig y Plas wrtho'i hunan. Roedd ei dad wedi bod yn arddwr i'r Cyrnol Lewis (y Gwernos gynt) ac roedd e wedi gweithio trwy'i oes am gyflog a oedd yn rhy fychan i'w gadw ef a'i deulu—sef ei wraig a'i fab a'i ferch—uwchlaw tlodi. Ac yn awr, dyma fab y garddwr yn ŵr bonheddig y Plas, a'r Cyrnol ei hunan yn byw yn y 'Lodge'! Chwarddodd Henri Teifi Huws yn isel. Eitha reit â'r cythrel! meddyliodd. Fe a'i King Charles Spaniel! O, fel roedd y rhod wedi troi!

Roedd mab y garddwr wedi mynd i Lundain at Eisac Jones, cyfaill bore oes i'w dad, i'w helpu gyda'r 'wâc laeth' a oedd ganddo yn y brifddinas. Yn awr, cofiai am y gwaith caled, a'r blinder ar ddiwedd y dydd, ar ôl bod yn cerdded strydoedd celyd Llundain fore a hwyr. Cofiodd am y boreau tywyll yn nyfnder gaeaf, a'i ddwylo'n ddideimlad gan yr oerfel, ac am y glaw'n mynd trwy ei ddillad at ei groen, oriau cyn iddo orffen ei rownd yn aml. Ond roedd e wedi dysgu llawer gan Eisac Jones. Roedd e wedi dysgu pryd i roi tipyn o ddŵr ar ben y llaeth, a phryd i beidio! Ond er bod pen da at fusnes gan Eisac Jones, dyn difenter, aros-yn-ei-unfan ydoedd—dyn carcus, cul ei orwelion.

Ar ei rownd feunyddiol trwy bob tywydd arferai Henri Teifi Huws freuddwydio sut y byddai ef yn rhedeg y busnes pe bai'n ei gael i'w ddwylo ei hunan. Pan gâi ambell funud o hamdden arferai ddarllen y *Times*. Byddai'n cael papur y diwrnod cynt gan forwyn un o'r tai mawr oedd yn prynu llaeth ganddo.

Ac wrth ddarllen y *Times* fe ddysgodd am y 'Farchnad' —y *Stock Market*—ac fel yr oedd rhai o ddynion busnes mawr Llundain yn gwneud eu ffortiwn wrth brynu a gwerthu ar y 'Farchnad'. O, fel y carai ef allu prynu'n rhad a gwerthu'n ddrud, fel rhai o'r bobl yma! Ond, wrth gwrs, doedd ganddo ddim arian tu cefn i fentro arni.

Gwelodd yr hen Gyrnol yn mynd yn ôl i'r tŷ. Am eiliad cafodd olwg ar ei wallt brithlwyd a'i gefn syth. Yna roedd y drws wedi cau. Daeth meddyliau Henri Teifi Huws yn ôl o Lundain am funud. Cofiodd amdano ef a'i chwaer yn mynd i grynhoi calennig i'r Plas un bore cyntaf o Ionawr. Roedd y Cyrnol wedi digwydd dod allan i'w cwrdd â gwn dan ei fraich a'i gi yn ei ddilyn. Roedd e wedi edrych yn ddiamynedd arnynt. *'O, give the brats something!'* meddai wrth y forwyn a oedd wedi ei ddilyn i'r drws.

A phan fu raid i'r gŵr bonheddig werthu'r Plas i dalu'i holl ddyledion, roedd e wedi gorfod dod at y perchennog newydd i ofyn iddo am y 'Lodge'. Oedd, roedd y Cyrnol wedi gorfod plygu i ofyn i'r *brat* am le bach i dreulio'r gweddill o'i ddyddiau! Ac roedd Henri Teifi Huws wedi rhoi'r 'Lodge' iddo—yn ddi-rent. Cofiodd yn awr fel yr oedd yr hen Gyrnol wedi gwrido pan ddywedodd wrtho y gallai gael y 'Lodge', ond na fyddai yn cael talu dim rhent am y lle. Gwyddai Henri Teifi Huws fod cywilydd arno gymryd cardod gan fab ei hen arddwr. Roedd y funud honno wedi bod yn un felys i Henri Teifi Huws—yn gwneud iawn am y slafio yn Llundain ac am dlodi ei blentyndod. Roedd Cyrnol Lewis, Plas y Gwernos, yn awr yn byw ar ei drugaredd ef—y *brat* oedd wedi mynd â'i gap yn ei law i ofyn am geiniog ganddo ar fore Calan slawer dydd. Fe wyddai'n iawn beth roedd ymadael â chartref ei hynafiaid wedi ei olygu i'r Cyrnol. Roedd e wedi torri ei galon, er ei fod yn rhy falch i ddangos hynny'n agored i neb.

Ond roedd y perchennog newydd wedi ei weld droeon gyda'r nos, yn stelcian o gwmpas y Plas a'r Parc, lle'r arferai'r ceirw bori gynt. Os gwelai rywun yn nesáu fe giliai'n ôl am y 'Lodge' fel lleidr.

Chwipiodd y gwynt ychydig ddefnynnau o law i wyneb Henri Teifi Huws. Tynnodd ei law dros ei dalcen i'w sychu ymaith. Edrychodd i lawr i'r gerddi lle'r oedd petalau'r Ffárwel Haf yn dal i flodeuo. Er bod niwl ar ffenestri'r tŷ gwydr mawr, fe allai weld cysgod Daniel y Garddwr yn symud o gwmpas tu mewn iddo. Fe fyddai rhaid gwneud rhywbeth ynghylch Daniel hefyd, meddyliodd. Roedd y dyn bron mynd yn ddall! A beth yn y byd wnaech chi â garddwr dall? Roedd Daniel yn berthynas pell i'w wraig, Edith, ond y Nefoedd fawr! Cofiodd amdano'n cerdded trwy ganol rhych o gennin ifainc yr oedd ef ei hun wedi eu plannu. Doedd e ddim yn 'u gweld nhw! O, fe wyddai'n iawn nad oedd y dyn ddim eto'n drigain oed, ond roedd ei olygon wedi gwaethygu'n arw ers y gwanwyn, a dyn a ŵyr beth fyddai'n ei ddifetha nesa. Roedd Henri Teifi Huws wedi dweud wrth Edith ers misoedd y byddai rhaid iddo fynd. Ond roedd hi wedi erfyn arno i'w gadw am dipyn, gan nad oedd gobaith y câi e waith yn unman arall.

Ysgydwodd ei ben wrth feddwl am Edith. Doedd hi ddim wedi dod â llawenydd mawr iawn iddo. Ail ferch Eisac Jones oedd hi. Roedd Marïa'r ferch hynaf dipyn bach yn simpil neu'n wirion, ac arferai'r hen Eisac ei chadw i wneud gwaith y tŷ iddo. Ond roedd Edith yn ei helpu yn ei fusnes—yn gofalu am ei gyfrifon, ac yn gwasanaethu yn y siop oedd ynghlwm wrth y fusnes llaeth. Ym 1930, pan briododd Henri Teifi hi, roedd hi'n eneth bump ar hugain oed weddol olygus. Y pryd hynny roedd ef ei hun yn ddwy ar hugain. Ond ers deuddeng mlynedd bellach roedd Edith wedi bod yn gripil yn ei chadair olwyn. Roedd hi ei hun yn credu mai effaith gweithio mor galed yn y *dairy* am gynifer o flynyddoedd oedd yn gyfrifol. Beiai'r dŵr a ddefnyddiai i olchi'r llestri a'r lloriau ddwywaith y dydd—bob dydd. Beth bynnag oedd achos ei hafiechyd, yr oedd hi bellach wedi colli nerth ei choesau'n llwyr, ac ni allai gerdded cam. Yr oedd ei dwylo hefyd yn llawn arthreitis, er ei bod yn dal i weu â hwy o hyd. Gweu, gweu, gweu! Y Nefoedd fawr, meddyliodd Henri Teifi, roedd hi siŵr o fod wedi gweu digon i gadw llwyth o Esgimos yn gynnes am y gweddill o'u hoes!

Trwy briodi Edith roedd e wedi cael ei droed ar ris isaf yr ysgol. Fe gafodd hanner siâr ym musnes Eisac Jones, a doedd e ddim wedi edrych yn ôl wedyn. Pan fu'r hen Eisac farw yn Chwefror 1932, yn ystod y Ffliw Fawr, fe gafodd ofal llwyr o'r fusnes. Yr oedd Edith wedi gweithio'n galed gydag ef. Oedd, roedd rhaid iddo gyfaddef hynny. Ac roedden nhw wedi bod yn ddigon hapus ar y cyfan. Henri Teifi fyddai'r cyntaf i gyfaddef mai natur ffein, heddychol ei wraig oedd yn gyfrifol am hynny yn bennaf. Pan fyddai ef yn mynd i dymer yn aml ac yn fflamio o gwmpas y tŷ, neu'r siop neu'r *dairy*, fe fyddai Edith, yn ei ffordd bwyllog a chall, yn llwyddo i daflu olew ar y dyfroedd bob tro.

Roedd Edith ac yntau wedi cael dau blentyn—mab a merch. Daeth gwg i'w wyneb wrth feddwl am ei blant, a thynhaodd ei wefusau at ei gilydd. Ysgydwodd ei ben. Roedd hi'n union fel petai'r Bod Mawr wedi ei helpu i lwyddo mewn busnes, ac wedi ei gadael ar hynny! Ym mhob peth arall, meddyliodd, roedd E fel petai wedi gwneud ei waethaf iddo. Roedd E wedi rhoi mab iddo ef ac Edith—Idwal—eu cyntaf-anedig, ac roedd ef—ei dad—wedi methu rhoi llawer o'i sylw iddo yn ystod blynyddoedd ei blentyndod, gan ei fod yn gorfod rhoi mwy a mwy o sylw i'w fusnes a oedd yn dal i dyfu a lledu, ac a oedd oherwydd hynny, yn mynd â'r rhan fwyaf o'i amser.

A mab ei fam fu Idwal o'r dechre. Roedd hi wedi ei sbwylio'n ddidrugaredd—hi a'i chwaer Marïa, heb sôn am Martha'r Cwc. Rhyngddyn nhw roedden nhw wedi difetha'r crwt yn llwyr, ac wedi ei droi fe yn erbyn ei dad.

Erbyn hyn roedd e'n bump ar hugain oed, yn briod â rhyw hoeden o Gaerdydd, a doedd ef a Henri Teifi ddim ond prin siarad â'i gilydd. Hyd yn oed pan ddeuai Idwal am dro i'r Gwernos i weld ei fam a'i fodryb, anaml y byddai'r tad a'r mab yn torri gair â'i gilydd. Dair blynedd ynghynt roedd Idwal wedi agor clwb yn Mayfair yn Llundain, ag arian ei dad a'i fam, wrth gwrs. Flwyddyn yn ddiweddarach roedd e wedi mynd i ddyled, ac roedd Edith wedi cael gan ei gŵr i roi mil o bunnoedd wedyn i'r crwt, i'w gadw allan o'r Llysoedd, ac i arbed enw da perchennog newydd y Gwernos. Ond roedd Henri Teifi Huws wedi dweud y pryd hwnnw na fyddai ef, ar unrhyw delerau, yn rhoi'r un ddimai goch arall i'w dynnu allan o drwbwl. Ac fel yna roedd y tad a'r mab wedi dieithrio oddi wrth ei gilydd. Yn wir, credai Henri Teifi fod ei fab yn ei gasáu â chas perffaith.

Flwyddyn union ar ôl geni Idwal roedd Olwen wedi cyrraedd. Ac roedd hi wedi tyfu—fel ei modryb Marïa— yn ferch dipyn bach yn wirion. O, roedd hi'n medru gwneud gwaith tŷ'n burion. Yn wir, roedd hi'n medru gweu a gwnïo'n gelfydd dros ben. Ond ni fedrai neb gynnal sgwrs â hi yn hir iawn heb ddod i'r casgliad ei bod yn greadur gwirion. Nid am ei bod hi'n dweud pethau ffôl—fel Marïa—chwaith, ond am ei bod hi'n swil, yn barod i wrido a chilio o'r golwg . . . fel rhyw gwningen ofnus, meddyliodd Henri Teifi Huws. Beth oedd yn bod ar yr eneth? Ond o ran hynny beth oedd yn bod ar Marïa? Roedd honno wedi bod yn byw ar yr un aelwyd ag ef ers wyth mlynedd ar hugain, a doedd e erioed wedi ei chlywed hi'n datgan barn bendant ar ddim byd. A chyda'r blynyddoedd roedd Marïa wedi gwaethygu.

Ond roedd Olwen, er iddi fod yn siom fawr iddo, yn annwyl iawn gan ei thad. O leiaf doedd hi ddim yn ei gasáu, meddyliodd. Beth yn y byd oedd yn mynd i ddod ohoni? Ryw ddiwrnod byddai'n etifeddu Plas y Gwernos a holl arian ei thad; oherwydd roedd e wedi penderfynu ei fod yn mynd i dorri ei fab allan o'i ewyllys yn llwyr. Doedd e ddim yn mynd i roi'r ffortiwn yr oedd ef wedi gweithio mor galed i'w chrynhoi i fab oedd yn ei gasáu. Beth wnâi Idwal â'i gyfoeth beth bynnag? Ei wario ar oferedd a'i chwalu i'r pedwar gwynt mewn byr amser.

Gwelodd y *chauffeur* yn dod heibio i dalcen y Plas tuag ato. Gwyliodd Henri Teifi Huws ef yn dod. Roedd e'n edrych yn smart yn ei gap pig gloyw a'i lifrai glas tywyll a'r botymau arian.

Cofiodd Henri Teifi amdano'n ei gymryd yn grwt bawlyd, newynog o slyms Llundain, i weithio yn y *dairy*. Fe ddylai hwn o leiaf fod yn ddiolchgar iddo, meddyliodd. Roedd e nawr yn *chauffeur* y Plas—yr unig berson a oedd yn cael gyrru, a gofalu am, y Rolls mawr—yr anghenfil o gar a fyddai'n cludo gŵr bonheddig y Plas i ble bynnag y carai fynd.

'Wel, Simpson?' meddai Henri Teifi Huws, pan ddaeth ei was ato.

Cyffyrddodd y *chauffeur* â phig gloyw'i gap.

'Fydd arnoch chi angen y Rolls heno, syr?'

'Na. Rho fe i gadw.'

'Diolch, syr.'

'Ond gofala 'i sychu fe'n sych cyn mynd.'

Cyffyrddodd y *chauffeur* â'i gap unwaith eto a throi ar ei sawdl! Gwyliodd Henri Teifi Huws ei gefn yn diflannu heibio i dalcen y Plas.

Chwythodd y gwynt ddefnynnau glaw eto ar draws ei wyneb a chododd ar ei draed. Aeth ias oer trwy ei gorff. Roedd e wedi oedi'n rhy hir ar y feranda, meddyliodd.

Fe deimlai'n flin a digalon. Yna'n sydyn fe ddechreu-odd gerdded trwy'r glaw i lawr i gyfeiriad y gerddi.

Pan agorodd ddrws y tŷ gwydr mawr trodd Daniel Ifans y Garddwr ei ben i edrych arno.

'Simpson, ti sy 'na?' meddai gan geisio sbio trwy'r hanner tywyllwch tuag at y drws.

'Nage, Daniel,' meddai, 'ydi'ch llyged chi wedi mynd cynddrwg â hynna, ddyn—eich bod yn ffaelu nabod eich meistr?'

'O, chi, Mr Huws sy 'na. Dewch i mewn. Y . . . roeddwn i ar fin mynd lan â rhai tomatos i'r tŷ. Oeddech chi am 'y ngweld i?'

'Oeddwn, Daniel. Rwy'n meddwl fod yr amser wedi dod i chi roi fyny'r gwaith 'ma.'

Bu munud o ddistawrwydd ar ôl i Henri Teifi Huws ddweud hyn. Syrthiodd y domato goch a ddaliai Daniel yn ei law i'r llawr. Aeth ei feistr yn ei flaen.

'Rŷch chi'n gwbod yn iawn, nad yw'ch llyged chi ddim yn ddigon da, ers amser bellach, i 'neud whare teg â'r gwaith.'

'Ond fe ddwedodd Edith . . . y . . . Mrs Huws . . .'

'Beth ddwedodd hi, Daniel?' Roedd llais Henri Teifi Huws wedi codi.

'Y . . . dim . . . Mr Huws.' Roedd llais y Garddwr yn styfnig.

'O fel'na iefe? Wel, Daniel, rwy am i chi gymryd tri mis o notis nawr. Fe fydd gen i ddyn newydd 'ma o ddechre'r flwyddyn ymla'n.'

'Ond, Mr Huws . . .' Cymerodd gam ymlaen a rhoi ei droed ar y domato nes bod y sudd coch yn tasgu ohoni.

'Ie?'

'Wel . . . rown i wedi meddwl . . . pe byddech chi'n aros nes bydda i wedi gweld y *specialist* 'ma o Gaerdydd . . .'

'Rŷch chi wedi gweld dau spesialist yn barod 'nôl fel rwy'n clywed, Daniel. Na, mae'n ddrwg gen i.'

'Ond . . .' Stopiodd y Garddwr, waeth roedd drws y tŷ gwydr wedi cau.

Aeth Henri Teifi Huws yn ôl am y Plas. Yr oedd hi'n tywyllu'n gyflym yn awr, ac roedd y gwynt wedi codi.

Wrth fynd heibio i dalcen y garej fe stopiodd yn stond. Ai dychmygu'r oedd e wedi'i wneud? Neu a oedd e wedi clywed sŵn merch yn chwerthin? A oedd Simpson yn chwarae o gwmpas gydag un o'r morynion? Os oedd e, roedd hi'n bryd dysgu gwers iddo. Roedd drws y garej yn gilagored. Aeth Henri Teifi Huws i mewn yn ddistaw. Roedd hi'n dywyll yn y garej, ond gallai weld cysgod y Rolls mawr o'i flaen. Yna clywodd y chwerthin wedyn. Gwyddai yn awr o ble roedd e'n dod. Roedd rhywun gyda Simpson yn sedd ôl y Rolls.

Cydiodd yn nolen y drws. Yna gydag un tro sydyn agorodd ef led y pen.

'Beth sy'n mynd ymla'n 'ma?' gwaeddodd. Cyn gynted ag yr agorodd y drws daeth golau ymlaen tu mewn i'r Rolls. Yn y golau gwelodd Simpson y *chauffeur* . . . ag Olwen, ei ferch, yn ei freichiau!

Am foment hir safodd y tri yn eu hunfan heb symud gewyn—fel pe baent wedi rhewi. Roedd llygaid Olwen fel llygaid anifail ofnus wedi ei ddal mewn trap. Roedd wyneb Henri Teifi Huws yn bictiwr—o syndod ac o ddicter. Dangosai Simpson ei ddannedd gosod gwynion mewn rhyw fath o wên euog. Cododd ei law at ei dalcen, fel pe bai'n ceisio cyffwrdd pig ei gap. Ond nid oedd ganddo gap.

'OLWEN!' Roedd llais Henri Teifi Huws yn fwy o sgrech na dim arall. Yna roedd y ddau yn sedd ôl y Rolls wedi neidio oddi wrth ei gilydd. Cydiodd llaw chwith Olwen yn nolen y drws pellaf, a'i agor. Cyn pen winc roedd hi wedi neidio allan. Clywodd ei thad sŵn ei thraed yn rhedeg am ddrws agored y garej. Gadawodd iddi fynd. Fe gâi ef gyfle arni hi eto.

Yn sydyn plygodd i mewn i'r car a chydiodd ei ddwy law yng ngholer cot Simpson. Tynnodd ef allan o'r car a dechrau ei ysgwyd yn gynddeiriog.

Ymhen amser deallodd fod y *chauffeur* yn ceisio dweud rhywbeth. Stopiodd i wrando arno. Fel dyn mewn hunllef clywodd ei was yn dweud ei fod yn *caru* Olwen, a'i bod hithau yn ei garu yntau . . . a'u bod yn bwriadu priodi.

'Beth? Beth wyt ti'n geisio'i ddweud, y broga?' Roedd llais Henri Teifi Huws yn ofnadwy. '*Ti*'n priodi Olwen— 'y merch i? Fe dynnes i di o'r gwter, y ceglyn! A dyma beth wyt ti'n 'neud i fi nawr, iefe? Yn caru Olwen wyt ti? O nagwyt! Caru'r Plas 'ma a'r Rolls wyt ti'r diawl! Roeddet ti wedi meddwl gneud tipyn o les i ti dy hunan wrth dwyllo Olwen oeddet ti? Wel, yr unig beth wyt ti wedi 'neud yw colli dy job, Simpson. Fe elli di ddechre pacio dy focs y funud 'ma. Gofala na fyddi di o gwmpas y lle 'ma bore fory.' Gwthiodd Henri Teifi Huws y *chauffeur* o'r ffordd ac aeth am y drws. Yna trodd yn ôl. 'Allweddi'r Rolls,' meddai'n sarrug. Tynnodd y *chauffeur* yr allweddi o boced ei drywsus a'u hestyn iddo heb yr un gair. Ofnai pe bai'n agor ei geg y byddai ei feistr yn ei daro.

Pan aeth Henri Teifi i'r tŷ, aeth yn syth i'r llyfrgell. Yr oedd tân coed ynn mawr yn llosgi yn y grât yno. Ac yno yr oedd Edith yn ei ddisgwyl yn ei chadair olwyn. Edrychodd yn syn arno pan gerddodd i mewn. Aeth ias trwyddi wrth weld yr olwg ar ei wyneb. Roedd hi wedi gweld yr olwg ofnadwy yna o'r blaen—pan fu'r ffrae fawr rhyngddo ef ac Idwal. Beth oedd yn bod? Roedd hi wedi gweld Olwen yn rhuthro i fyny'r grisiau i'r llofft heb ddweud yr un gair, ac yn awr fe deimlai ofn yn ei chalon.

Aeth Henri Teifi Huws ymlaen at y tân. Yna safodd ar ei draed â'i gefn tuag ato.

'Edith,' meddai, 'roedd Olwen a Simpson yn sedd ôl y Rolls . . . yn cusanu a . . . ble mae hi?'

'Mae wedi mynd i'r llofft.'

'Rwy i am gael gair â hi—y bitsh fach!' Aeth am y drws.

'Henri, arhoswch!'

Trodd yn y drws ac edrychodd ar ei wraig.

'Wel?'

'Byddwch yn ofalus . . .'

'Yn ofalus, Edith? Pe baech chi wedi bod yn fwy gofalus, mae'n debyg na fydde dim byd fel hyn wedi digwydd!'

Gwelodd ei wraig yn troi ei hwyneb oddi wrtho, a gwyddai ei fod wedi ei brifo. Ond ni hidiai. Aeth allan cyn iddi gael cyfle i ddweud dim rhagor.

Aeth i fyny'r grisiau ddau ar y tro. Daeth at ddrws ystafell wely ei ferch. Ni churodd y drws—dim ond ei agor a rhuthro i mewn.

Gorweddai Olwen ar ei hwyneb ar y gwely, ac ni chododd ei phen.

'Olwen!' meddai Henri Teifi. Dim un ymateb o'r gwely.

'Olwen!' meddai wedyn, 'beth oeddech chi'n feddwl, dwedwch? Ych-y-fi! A hynny gyda Simpson o bawb! Does dim c'wilydd arnoch chi?'

Yn araf bach cododd Olwen ei phen oddi ar y gwely a throi i wynebu ei thad. Gwelodd fod ei llygaid yn goch, ac yn llaith gan ddagrau.

'Wel? Atebwch ferch—rwy i wedi gofyn cwestiwn i chi. Does dim c'wilydd arnoch chi?'

'Ond rydyn ni'n caru'n gilydd, Nhad . . . mae'n ddrwg gen i os . . .'

Chwarddodd Henri Teifi Huws yn uchel ac yn wawd-lyd.

'Yn *caru*, Olwen? Caru'r blydi *chauffeur*? Merch Plas y Gwernos yn caru rhyw geglyn bach fel'na o slyms Llunden? Wel! Fe wyddwn i eich bod chi dipyn bach yn wirion o'r blaen, Olwen, fel eich modryb Marïa . . . ond y Nefoedd fawr, ferch . . . does gynnoch chi ddim tamed bach o olwg ar eich tad, a'i enw da fe yn yr ardal 'ma?'

'Rwy i . . . rwy i . . . wedi addo'i briodi fe, Nhad.'

Am foment credodd Olwen fod ei thad yn mynd i gael strôc. Aeth ei wyneb yn gochddu ac edrychai ei lygaid fel pe baent ar fîn neidio o'i ben. Yna chwarddodd eto.

'O, na!' meddai, 'dim tra bydda i byw, Olwen! Ydych chi ddim yn gweld mai ar ôl y Plas a'n arian i y mae e? Eich caru chi, myn brain i!'

'Gobeithio na fuoch chi ddim yn gas wrtho fe, Nhad?'

'Yn gas wrtho? Rwy i wedi rhoi'r sac iddo—dyna i gyd, Olwen. Rwy i wedi dweud wrtho fe nad wy i ddim am 'i weld e obeutu'r lle 'ma bore fory.'

Neidiodd Olwen o'r gwely.

'Na, Nhad! Rhaid i chi beidio. Wnaethon ni ddim un drwg . . .'

'Drwg! Ond rwy i wedi'ch dala chi'ch dou—yn sêt ôl y Rolls o bobman.'

'Ond roedden ni wedi trefnu dod i siarad â chi, Nhad . . . ein dou . . . i ofyn i chi . . .'

'Dyna ddigon! Dwy ddim am glywed sôn am 'i enw fe yn y tŷ 'ma byth mwy. Fydd e wedi mynd bore fory . . .'

Safodd Olwen yn ddewr o flaen ei thad am y tro cyntaf erioed.

'Mi fydda i'n mynd gydag e, Nhad!'

Trawodd Henri Teifi Huws hi ar draws ei boch â'i law agored.

'Dim tra bo anal yn 'y nghorff i, 'merch i!'

Yna roedd e wedi mynd am y drws. Tynnodd yr allwedd o'r clo a thynnu'r drws ar ei ôl a'i gloi.

Clywodd Olwen yr allwedd yn troi yn y clo a thaflodd ei hun unwaith eto ar y gwely.

2

Eisteddai Edith Huws wrth y bwrdd brecwast yn ei chadair olwyn. Yn ei hymyl eisteddai ei chwaer, Marïa. Yr oedd Marïa'n cnoi darn o dost yn ara bach ac yn sipian ei choffi, tra oedd Edith yn mynd trwy'r post a oedd newydd gyrraedd.

'Oes rhywbeth i fi, Edith?' gofynnodd Marïa.

'Na, dwy i ddim yn meddwl,' atebodd ei chwaer.

Byddai Marïa'n gofyn yr un cwestiwn bob bore, er mai anaml iawn y byddai hi'n cael llythyr oddi wrth neb.

Nid oedd meddwl Edith ar y llythyron oedd newydd gyrraedd o gwbwl. Yr oedd hi'n disgwyl i'w gŵr ddod at ei frecwast, ac roedd hi'n meddwl am Olwen. Cyn mynd i'r gwely'r noson cynt roedd hi wedi trio drws ystafell Olwen a'i gael ynghlo. Wyddai hi ddim p'un ai Olwen neu ei thad oedd wedi ei gloi.

Yna sylwodd ar lawysgrifen ei mab, Idwal, ar amlen un o'r llythyron. Llamodd ei chalon.

'Llythyr o'wrth Idwal!' meddai.

'Wel agor e, Edith, i ni gael gwbod sut mae e!' Yr oedd wyneb Marïa wedi llonni i gyd. Edrychodd Edith ar ei chwaer â hanner gwên fach ar ei hwyneb. Roedd Marïa'n meddwl y byd o Idwal o hyd, meddyliodd.

Agorodd yr amlen a dechrau darllen.

'Mae e'n dod lawr!' meddai.

'Yn dod yma, Edith? Pryd?'

'Heddi. Dyna Idwal yn 'i gyfer ontefe? Dim rhybudd o fath yn y byd—dim ond gair i ddweud 'i fod e'n dod heddi!'

'O, mi fydda i'n falch o'i weld e, Edith! Roedd fy horosgôp i'n iawn am heddi. "Bydd rhai annwyl yn dod i'ch gweld." A dyma lythyr o'wrth Idwal yn dweud 'i fod e'n dod!'

Ond nid oedd Edith yn gwrando arni. Roedd hi wedi dod i ddiwedd y llythyr lle'r oedd Idwal yn dweud . . . 'gobeithio fod hwyl go lew ar Nhad'. A oedd rhywbeth o'i le? A oedd e wedi mynd i ragor o ddyled? Pam roedd e wedi penderfynu dod mor sydyn? Ond, meddyliodd wedyn, yn sydyn y byddai'n dod bob amser—yn sydyn ac

20

yn rhy anaml o lawer y dyddiau hyn, oherwydd y cweryl â'i dad. A oedd e'n dod â Cynthia gydag e? Doedd y llythyr ddim yn dweud.

'Mae e'n cofio atat ti, Marïa,' meddai Edith.

'Druan bach! Fe fydd yn neis 'i weld e, Edith.' Am foment edrychodd y ddwy chwaer ar ei gilydd ar draws y bwrdd brecwast. Yr oedden nhw'n hollol wahanol i'w gilydd—Edith â'i gwallt tywyll wedi ei dynnu'n dynn am ei phen a'i glymu'n bellen gymen tu ôl, a'i hwyneb gwyn, llyfn-groen a'i dau lygad du. Marïa wedyn yn olau a'i gwallt braidd yn anniben o gwmpas ei phen, a'i dwy foch goch. Nid oedd amser wedi bod yn garedig tuag at Marïa, oherwydd yr oedd rhychau amlwg o gwmpas ei gwddf a'i thalcen.

Weithiau byddai Edith yn meddwl fod ei chwaer yn hollol normal—fel pobl eraill ym mhob dim. Byddai'n dal pen rheswm â hi yn ddigon deallus am ddiwrnodau o'r bron. Ond ambell waith wedyn byddai Marïa'n chwarae'r piano drwy'r dydd o fore hyd hwyr. Bryd hynny ni fyddai'n dal pen rheswm â neb, a phan geisiai Edith siarad â hi, fe gâi atebion ffôl a rhyfedd yn aml.

Yn ddiweddar roedd Marïa wedi dechrau cymryd diddordeb mewn arlunio. Yn ei hystafell ar y lloft roedd ganddi nifer o ganfasau ar eu hanner—i gyd ar eu hanner. Gwraig y Cyrnol Lewis oedd wedi cychwyn ei diddordeb mewn arlunio. Pan fyddai hi'n ei hwyliau gorau, mi fyddai Marïa'n mynd i lawr i'r 'Lodge' i wylio Millicent Lewis yn peintio. Roedd Millicent Lewis yn llwyddo i werthu ambell lun bach yn awr ac yn y man am bedair neu bum punt.

21

Agorodd drws y stafell frecwast a daeth Henri Teifi Huws i mewn. Disgynnodd llygaid y ddwy ar ei wyneb. Gwelodd Edith ar unwaith nad oedd wedi cysgu llawer y noson cynt. Roedd ei lygaid yn ddwfn yn ei ben ac roedd golwg flin iawn arno.

'Ydi e wedi mynd, Edith?' gofynnodd.

Rhoddodd Edith lythyr ei mab i lawr ar ei phenliniau diffrwyth.

'Ydi mae e wedi mynd,' meddai'n ddistaw. 'Mae e wedi gadel 'i gist fawr â label arni—rhyw gyfeiriad yn Llunden —mae e wedi gofyn a fydd rhywun yn mynd â hi i'r stesion.'

'Fe gaiff hi fynd i'r stesion! Fe af fi â hi'n hunan cyn nos heno!'

'Pwy sy wedi mynd, Edith?' gofynnodd Marïa. Ni chymerodd yr un o'r ddau sylw o'i chwestiwn.

'Dyw Olwen ddim wedi dod lawr 'to,' meddai Marïa eto.

Edrychodd Henri Teifi Huws ar ei chwaer-yng-nghyfraith fel pe bai'n bryfyn, ond ni ddywedodd air.

'Mae Idwal yn dod heddi,' meddai Marïa wedyn. Cododd Henri Teifi Huws ei ben ac edrychodd ar ei wraig.

'Ydi hynna'n wir, Edith?'

'Ydi. Mae llythyr wedi dod bore 'ma. Dyma fe—darllenwch e, Henri.'

'Beth mae e'n mofyn?'

'Dim Henri, hyd y gwn i. Dod i roi tro amdanon ni. Mae'n beth hollol naturiol.' Roedd llygaid duon Edith yn ei herio.

'Mae'n beth od os nad oes eisie rhywbeth arno fe. Os

oes eisie rhagor o'n arian i arno fe, mae e wedi dod ar siwrne ofer.'

Tynnodd Edith anadl o ryddhad. Roedd hi wedi ofni y byddai ei gŵr yn dweud rhywbeth gwaeth. Yn sydyn dyma Marïa'n codi oddi wrth y bwrdd heb ddweud dim ac yn mynd allan o'r ystafell. Yna clywsant hi'n dechre chwarae'r piano yn y lolfa.

'Henri,' meddai Edith, 'dyw Olwen ddim wedi dod lawr . . .'

Tynnodd Henri Teifi ei law dros ei wyneb.

'Wel, nid arna i mae'r bai am hynny. Mae drws 'i hystafell hi ar agor.'

'Doedd e ddim neithiwr . . .'

'Wel, rwy i wedi'i agor e cyn dod lawr y bore 'ma.'

'Aethoch chi mewn . . .?'

'Naddo fi, Edith. Cyn belled ag rwy i yn y cwestiwn, mae'r peth wedi gorffen fan'na. Dim ond iddi beidio â'i weld e byth rhagor.'

Daeth y Cwc i mewn â'i frecwast ar hambwrdd—bacwn a dau wy a thipyn o dost poeth. Wedi rhoi'r plât o'i flaen arllwysodd hanner llond cwpan o goffi iddo. Llanwodd y cwpan â llaeth poeth. Yna aeth allan.

'Henri,' meddai Edith ar ôl i'r drws gau, 'gan fod Idwal yn dod a phopeth, rwy'n meddwl yr hoffwn i fynd i'r dre heddi i brynu rhai pethe . . . Os ydych chi'n golygu mynd â chist Simpson i'r stesion . . . fe allwn i ddod hefyd.'

Er ei bod hi'n fethedig roedd Edith ar hyd y blynydd-oedd wedi parhau i brynu nwyddau, a phethau eraill angenrheidiol i'r tŷ, ei hunan. Ac roedd Henri Teifi wedi gadael iddi—yn un peth am ei fod yn gwybod fod ei wraig yn ddynes ddarbodus a gofalus.

'O'r gore, Edith,' meddai, 'fe awn ni prynhawn 'ma ar ôl cinio. Am faint o amser mae e Idwal yn bwriadu aros?'

'Dyw e ddim yn dweud.'

'Y . . . mae Cynthia'n dod gydag e gwlei?'

'Ydi, siŵr o fod . . . dyw e ddim yn dweud.'

Bu distawrwydd rhyngddynt am dipyn. Gwyliai Edith ef yn ofalus tra oedd e'n plygu uwchben ei blât. Doedd e ddim yn bwyta mor awchus ag arfer, meddyliodd. A doedd e ddim wedi agor y *Financial Times* a orweddai ar y bwrdd yn ei ymyl. Gwyddai fod hynny'n arwydd go ddrwg, oherwydd nid oedd dim yn well gan ŵr bonheddig Plas y Gwernos na phori yn hwnnw.

'Y . . . Edith . . .' meddai Henri Teifi, gan godi ei ben.

'Ie?'

'Ynglŷn â Marïa.'

Dihangodd ochenaid ddistaw rhwng gwefusau Edith. Marïa eto! Sawl gwaith roedd e wedi dannod Marïa iddi pan fyddai am ei brifo.

'Wel?' meddai.

'Wel, Edith, dwy i ddim yn meddwl 'i bod hi—mei ledi Millicent Lewis—yn ddylanwad da arni. Mae'r peintio 'ma mae Marïa wedi bod yn 'i 'neud yn ddiweddar y . . . wel . . . yn dam nonsens!'

'O, wn i ddim, Henri. Does dim drwg ynddo fe. Mae e'n rhywbeth iddi 'i 'neud.'

Gwnaeth Henri Teifi ryw sŵn yn ei wddf a allai olygu unrhyw beth, a dechrau bwyta eto'n gyflym. Gwyliai Edith ef yn dawel. Doedd e erioed wedi gallu cymryd pwyll, meddyliodd—hyd yn oed ar ôl iddo wneud ei ffortiwn. Roedd rhyw ruthr ar Henri bob amser.

Fyddai hi ddim yn hawdd ei gadw mewn tymer dda yn

ystod y dyddiau nesaf, meddyliodd, ond byddai rhaid iddi wneud ei gorau.

'Ydych chi'n siŵr eich bod chi'n mynd i ddreifo'r Rolls, Henri? Dŷch chi ddim wedi bod tu ôl i'r whîl ers amser maith.'

Chwarddodd Henri Teifi.

'Nonsens, Edith! Rwy i wedi dreifo tipyn o bopeth yn fy amser. Tractor, lorri, car, heb sôn am yr hen fflôts llaeth . . .'

Stopiodd. Am foment edrychodd y ddau i lygaid ei gilydd. A'r foment honno roedd y ddau'n cofio'r hen ddyddiau cynt—yn Llundain. Daeth hanner gwên fach dros wyneb llwyd Edith. Gwthiodd Henri Teifi ei blât oddi wrtho a chydiodd yn y *Financial Times*.

3

Safai'r Rolls gloyw o flaen drws ffrynt y Plas â'i ddrysau i gyd ar agor. Yna daeth Edith yn ei chadair olwyn allan drwy'r porth llydan. Roedd hi'n cael ei gwthio gan ddyn mawr, coch ei wyneb a'i wallt. Hwn oedd Jim. Edith oedd piau Jim. Fe gâi ei gyflog yn unig am ofalu amdani hi. Fe fyddai'n mynd â hi i bob man—i'r gerddi, i'r Parc, a phan fyddai Edith yn mynd i'r dref neu rywle, yn y Rolls, byddai ef yn mynd hefyd, er mwyn ei chodi i mewn ac allan o'r car ac er mwyn gwthio'r gadair olwyn ar ôl cyrraedd pen y siwrnai. Roedd Jim yn ddigon cryf i allu ei chodi yn ei gôl heb ddim ymdrech o gwbwl. Pan fyddai Edith am ddringo grisiau'r Plas i wneud, neu i weld rhywbeth ar y llofft, Jim fyddai'n mynd â hi.

Wedi codi ei feistres o'i chadair a'i rhoi i eistedd yng nghefn y Rolls, plygodd y gadair olwyn a'i rhoi yn y bŵt. Yna daeth Henri Teifi Huws allan o'r Plas.

'Jim,' meddai, 'mae yna gist i fynd i'r stesion. Mae wrth waelod y grisie. Rho hi yn y bŵt wnei di?'

Nid atebodd Jim, ond aeth ar ei union i mewn i'r Plas a dod allan ar fyrder â'r gist ar ei ysgwydd. Roedd hi'n gist fawr, drom, ond wrth weld Jim yn ei thrafod mor hawdd fe ellid tybio ei bod yn llawn o blu. Gosodwyd y gist ym mŵt anferth y Rolls. Erbyn hyn roedd Henri Teifi Huws wedi cymryd ei le tu ôl i'r olwyn. Eisteddodd Jim yn ymyl ei feistr, a'r eiliad nesaf roedd y car mawr yn llithro'n dawel ac yn urddasol i lawr y lôn i gyfeiriad y briffordd.

Yn un o ffenestri llofft y Plas roedd Olwen yn gwylio'r car yn diflannu heibio i'r tro. Roedd golwg ryfedd ar ei hwyneb.

*   *   *

Pan ddychwelodd y Rolls i fyny'r lôn at y Plas, roedd hi'n dechrau nosi ac roedd ffenestri mawr y Gwernos yn taflu golau melyn allan ar draws y lawnt. O flaen drws ffrynt y Plas roedd car isel wedi ei barcio—car cyflym yr olwg a allai fod yn gar rasio.

Cododd Jim Mrs Huws yn ei gôl, ar ôl tynnu'r gadair allan o'r bŵt. Yna roedd e'n ei holwyno hi i mewn i'r Plas. Wedyn aeth Henri Teifi Huws â'r car mawr rownd i'r cefn lle'r oedd y garej. Yn bwyllog, a heb frysio, rhoddodd y Rolls o dan do. Yna cydiodd mewn dwster melyn o'r fainc yn y garej a dechrau sychu'r bonet gloyw. Roedd e wedi nabod y car isel oedd wedi ei barcio o flaen y Plas —car Idwal ydoedd. A doedd e ddim am frysio i mewn i siglo llaw ac i estyn croeso . . . fe gâi Edith wneud hynny. Felly, fe arhosodd yn y garej nes daeth Jim ymhen tipyn, i mofyn y nwyddau roedd Edith wedi eu prynu yn y dre. Er bod Jim yn addoli Edith Huws, ac yn hoffi siarad â hi pan fyddai'n mynd â hi am dro yn ei chadair olwyn, nid oedd fawr o siarad byth rhyngddo ef a gŵr y Plas. Nid oedd Henri Teifi byth yn rhoi gorchmynion i Jim. Os byddai am iddo wneud rhywbeth byddai'n gofyn iddo'n ddigon boneddigaidd, tra byddai'n gweiddi ar y gweision a'r morynion eraill yn aml. Roedd e fel petai'n derbyn y ffaith mai gwas Edith oedd Jim, ac nad oedd ganddo ef ddim hawl arno.

Yn dawel bach, roedd peth ofn y cochyn mawr ar Henri Teifi. Weithiau byddai'n dal Jim yn edrych yn wgus arno, yn enwedig pan fyddai ef ac Edith yn dadlau ynghylch rhywbeth, neu pan fyddai ef yn codi ei lais mewn tymer ddrwg.

Aeth gŵr bonheddig y Plas i mewn trwy'r cefn ac i fyny grisiau'r gweision a'r morynion i'r llofft. Nid oedd am orfod gwrando ar fân siarad *cyn* cinio—fe gâi ddigon ohono yn nes ymlaen, meddyliodd. Ni welodd neb ar ei ffordd i fyny a theimlai'n ddiolchgar pan gyrhaeddodd ei stafell ei hun a chau'r drws. Aeth i orwedd ar y gwely mawr ym mhen pella'r ystafell, a dechrau chwalu meddyliau.

Pe bai Olwen wedi mynd i garu rhywun arall heblaw'r cocni yna o slyms Llundain, meddyliodd—unrhyw un arall! Fe allai ef fod wedi derbyn rhyw grwt gweddol gyffredin o'r ardal fel cariad i'w unig ferch . . . ffermwr bach, neu siopwr . . . rhywun oedd wedi dangos ei fod e'n gallu ennill bywoliaeth heb ei help e—Henri Teifi

Huws. Ond roedd hi mor amlwg beth oedd ar y cocni ei eisiau—Plas y Gwernos a'r holl gyfoeth oedd yn mynd gydag e . . . a'r Rolls wrth gwrs. Druan o Olwen!

A phe bai Idwal yn troi ato weithiau—*unwaith*—pan *nad* oedd arno fe eisiau rhywbeth. Ond na, doedd e byth yn dod i weld ei dad a'i fam heblaw ei fod eisiau benthyg arian neu rywbeth tebyg. Pe bai e wedi dod unwaith neu ddwy i ofyn i'w dad am gyngor sut i redeg y Clwb neu sut i wneud bywoliaeth iddo'i hunan . . . Ond na, roedd e'n ormod o ddyn i ofyn am gyngor neb! A'r wraig 'na oedd gydag e—y tipyn Cynthia fach 'na . . .

Cododd Henri Teifi Huws oddi ar y gwely ac aeth am y bathrwm.

*   *   *

Er mwyn hwylustod iddi hi ei hun a phawb arall, roedd ystafell gan Edith Huws ar y llawr, ac yno y byddai hi'n treulio'r rhan fwyaf o'r dydd a'r nos. Yno y deuai'r Cwc i gael gorchmynion am y dydd, ac yno hefyd y deuai ei hychydig ffrindiau i'w gweld. Yn awr roedd hi'n eistedd mewn cadair esmwyth â chlustog tu ôl i'w phen—wedi blino tipyn ar ôl y siwrnai i'r dref a'r daith o gwmpas y siopau y prynhawn hwnnw. Ar ganol y llawr roedd ei mab Idwal yn sefyll, â'i ddwy law tu ôl i'w gefn, ac ar y *chaise longue* eisteddai Cynthia, yn smygu'n ddwfn ac yn gyflym.

'Ond Idwal bach,' meddai Mrs Huws am yr ail dro, 'fe fyddan nhw'n fodlon aros rhai misoedd, nes bydd yr Americanwr 'na wedi dod draw! Os yw e wedi addo'n bendant talu pum mil a hanner am y Clwb . . . fe fydd hynny'n ddigon i glirio'ch dyledion chi i gyd a gadael dwy fil dros ben!' Roedd llais Edith yn obeithiol. Doedd pethau ddim cynddrwg â hynny, meddyliodd. Os oedd Idwal wedi gwerthu'r Clwb am bum mil a hanner, a'i ddyledion e'n ddim ond tair mil ac ychydig bunnoedd . . . ond y trwbwl oedd—doedd yr Americanwr ddim wedi dod nac wedi talu—felly roedd ar Idwal a Cynthia eisiau *benthyg* tair mil . . . nes byddai'r ddêl wedi ei chwblhau. Doedden nhw ddim yn gofyn *am* swm o arian —dim ond am gael *benthyg* dros dro. Ond beth os byddai Henri Teifi'n gwrthod rhoi *benthyg* hyd yn oed? Fel petai wedi darllen ei meddyliau, dywedodd Idwal,

'Os na chawn ni fenthyg dwy fil a hanner o leia, fe fyddan nhw'n mynd â'r Clwb a dyna hi ar ben arna i wedyn . . . wela i byth mo arian yr Americanwr—y dyn Kane 'ma.'

'*O, your Dad will lend you the money, darling,*' meddai Cynthia. '*I know my Dad would if he had any.*'

'*Yes, but he hasn't has he, dear?*' atebodd Idwal yn swta.

*   *   *

Canodd y gloch ginio'n felodaidd trwy'r tŷ i gyd. Clywodd Olwen hi yn ei hystafell wely lle'r oedd hi wedi bod bron drwy'r dydd, ond ei bod hi wedi bod o gwmpas pan oedd ei thad a'i mam yn y dre. Roedd hi wedi bod yn ystafell Simpson a'i chael yn wag a'r drws led y pen ar agor. Roedd e wedi mynd felly, heb ddweud yr un gair wrthi hi. Fe allai fod wedi gadael nodyn, meddyliodd. Ond wedyn—efallai ei fod wedi gwneud hynny a'i thad wedi dod o hyd iddo. Gwasgodd ei gwefusau'n dynn wrth feddwl am ei thad.

Roedd hi wedi penderfynu ei bod hi'n mynd i lawr i swper ar ôl gweld fod ei brawd a'i chwaer-yng-nghyfraith wedi cyrraedd. Byddai'n falch o'r cyfle i siarad â rhywun unwaith eto—rhywun heblaw ei thad. Am hwnnw, fe deimlai'n siŵr na allai siarad ag e byth eto.

Fe glywodd Marïa'r gloch o'i stafell ar y llofft. Llamodd ei chalon, a chymerodd un gip arni ei hun eto yn y drych hir yn y wardrob. Tynnodd fys tenau dros ei gwefusau oedd yn goch, goch gan *rouge*. Yna aeth allan o'r stafell ac i lawr y grisiau.

Fe glywodd Henri Teifi'r gloch hefyd. Erbyn hynny roedd e wedi newid ei ddillad. Gwgodd arno'i hun yn y drych, unionodd ei dei bo, ac aeth yntau hefyd i lawr y grisiau am y neuadd ginio. Fe deimlai'n ddi-hwyl ac yn isel ei ysbryd.

'Hylô, Nhad.'

Wrth waelod y grisiau safai Idwal ei fab—yn union fel pe bai wedi bod yn disgwyl iddo ddod i lawr y grisiau, meddyliodd.

'O, hylô, Idwal. Mae 'na amser er pan fuest ti yn ein gweld ni o'r bla'n. Rwyt ti'n edrych yn dda.'

A dweud y gwir, roedd ei fab yn dechrau mynd yn rhy dew, meddyliodd. Roedd gormod o gnawd o gwmpas ei wddf a'i ên. Ond roedd y mwstás bach, du, mor drwsiadus ag y bu erioed.

'Rŷch chithe hefyd, Nhad, yn edrych yn dda dros ben.'

Mân siarad, gwag a diystyr, meddyliodd Henri Teifi Huws; dyna gawn ni drwy'r nos heno nawr, nes gwêl e 'i gyfle . . .

'Oeddet ti eisie cael gair â fi ynghylch rhywbeth?'gofynnodd yn sydyn. Edrychodd Idwal yn graff arno.

'Wel, na, does dim rhaid nawr. Fe gawn ni sgwrs ar ôl swper . . . neu fory.'

'Mae gynnon ni bum munud cyn y bydd cinio ar y ford. Fe awn ni mewn fan yma.' Cyfeiriodd at ddrws y llyfrgell. Aeth Idwal ar ei ôl. Wel, gorau i gyd po gyntaf y torra i'r garw, meddai wrtho'i hunan, wrth gau'r drws.

Roedd y gwragedd yn disgwyl amdanyn nhw pan ddaeth y ddau i mewn i'r ystafell ginio, ac roedd y Cwc yn dechrau colli ei thymer.

Edrychodd pawb ond Olwen ar y ddau'n dod i mewn ac yn eistedd yn eu lle.

'Sori am eich cadw chi,' meddai Henri Teifi. Roedd llygaid Edith, Marïa a Cynthia ar wyneb Idwal. 'Roedd gan Idwal a finne un neu ddau o bethau i'w trafod.' Roedd wyneb Idwal yn dangos i bawb nad oedd y sgwrs a gawsai â'i dad ddim wedi mynd wrth ei fodd o gwbwl. Roedd e'n goch fel twrci, ac yn amlwg mewn tymer ddrwg. Fe wyddai Edith ar unwaith fod ei dad wedi ei wrthod. Fe wyddai Marïa hefyd, oherwydd roedd Idwal wedi dweud wrthi hithau ei fod mewn dyled ac yn gobeithio clirio popeth ar ôl gwerthu'r Clwb.

Yna daeth y bwyd i'r bwrdd.

Dechreuodd Cynthia siarad ei Saesneg-sir-Forgannwg â Marïa ac Olwen, er nad oedd Olwen yn cymryd dim rhan yn y sgwrs. Llyncodd y lleill eu sŵp heb ddweud yr un gair. Roedd rhyw awyrgylch annifyr ac annaturiol o gwmpas y bwrdd. Yna dyma Marïa—o fwriad neu'n hollol ddifeddwl—yn rhoi ei throed ynddi!

'You don't know where we can get a new chauffeur do you, Cynthia?'

Doedd hyd yn oed ei chwaer Edith byth yn siŵr ai malais neu dwpdra oedd y tu ôl i ddywediadau ffôl Marïa. Yr oedd llwy sŵp Henri Teifi ar ei ffordd i'w geg, ond chyrhaeddodd hi ddim mo ben ei thaith. Yn lle hynny gollyngodd hi'n araf yn ôl i'r bowlen. Roedd distawrwydd llethol wedi disgyn dros yr ystafell. Yn rhyfedd iawn, Olwen dorrodd y distawrwydd.

'O, does dim eisie *chauffeur* arnon ni, Anti Marïa; mae gynnon ni un.'

'Oes e, cariad? Pwy yw e?'

'Dyna fe fan'co.' Pwyntiodd Olwen at ei thad. 'Odych chi wedi mesur am eich iwnifform, Dadi?'

'Olwen!' meddai llais ei mam yn ei hymyl. Chwarddodd Olwen yn uchel. Yna plygodd uwchben ei sŵp drachefn. Cododd Henri Teifi lwyaid arall at ei geg, heb ddweud yr un gair.

Rywsut neu'i gilydd fe ddaeth y cinio annifyr hwnnw i ben o'r diwedd. Doedd Henri Teifi ei hun ddim wedi cymryd rhan yn y siarad o gwbwl ac nid oedd ei fab wedi dweud mwy na rhyw dri neu bedwar gair.

Fe deimlai Henri Teifi fod rhaid iddo gael tipyn o awyr iach neu lewygu. Cododd o'i gadair a chafodd ddigon o ras o rywle i ddweud, 'Esgusodwch fi.' Yna gadawodd yr ystafell a chau'r drws ar ei ôl. Aeth allan o'r tŷ trwy un o ddrysau'r cefn a thynnodd anadl o ryddhad pan ddaeth allan i'r awyr agored. Roedd hi'n noson olau leuad braf, ond bod ambell gwmwl cyflym yn mynd dros wyneb y lleuad yn awr ac yn y man. Dechreuodd gerdded yn feddylgar ar hyd y lôn lefn heibio i'r gerddi ac i gyfeiriad y Parc. Tyfai coed hynafol ar bob ochr i'r lôn a thrwy frigau'r rheini fe wnâi'r golau leuad batrymau prydferth a chymhleth ar y llawr dan ei draed. Ond nid oedd Henri Teifi Huws mewn mŵd i werthfawrogi prydferthwch o unrhyw fath y funud honno.

4

Dihunodd Martha Williams, y Cwc, yn sydyn. Roedd rhyw olau dieithr yn ei hystafell wely. Y lleuad, meddyliodd. Roedd hi wedi sylwi wrth fynd i'r gwely ei bod hi'n noson olau leuad, braf. Yna clywodd sŵn—sŵn rhywbeth trwm yn cwympo. Gwyddai mai o'r tu allan i'r tŷ y daeth y sŵn. Cododd ar ei heistedd. Ar unwaith fe sylwodd mai golau gwahanol i un y lleuad oedd yn llenwi'r ystafell y funud honno. Roedd e'n olau mwy coch ac roedd e'n taflu cysgodion aflonydd . . . TÂN!

Neidiodd o'i gwely, cyn gynted ag y gallai dynes dew bymtheg stôn neidio—ac aeth at y ffenest a thynnu'r llenni. Llamodd ei chalon i dwll ei gwddf pan welodd y fflamau yn codi'n dafodau anferth trwy do'r garej. Roedd y lle ar dân ers amser, meddyliodd, ac roedd e bron â chael ei ddifa'n llwyr. Gadawodd Martha Williams y ffenest ar unwaith. Gwyddai fod rhaid gwneud rhywbeth heb oedi, rhag ofn i'r tân gyrraedd y tŷ. Yn frysiog taflodd ddresin gown dros ei hysgwyddau. Yna safodd yn stond ar ganol y stafell. Roedd hi wedi clywed sŵn a yrrodd ias o ofn drwyddi—sŵn chwerthin gwallgof! Roedd y sŵn yn agos, yn wir fe allai fod yn union o dan ffenest ei hystafell hi.

Aeth allan drwy'r drws ac ar draws y landin at ystafell ei meistr. Fe fyddai Mr Huws yn gwybod yn well na hi beth i'w wneud nesaf.

Curodd ar y drws. Dim ateb. Curodd eto. Yna cydiodd ym mwlyn y drws a'i droi. Roedd e ar agor. Roedd y stafell yn dywyll. Gwasgodd swits y golau.

Nid oedd neb yn yr ystafell. Edrychodd ar y gwely. Nid oedd neb wedi cysgu ynddo. Dechreuodd redeg i lawr y grisiau gyda'r bwriad o fynd i ystafell ei meistres. Ond wrth fynd i lawr y grisiau meddyliodd mai'r peth gorau i'w wneud oedd ffonio ar unwaith am y Polîs a'r Frigâd Dân. Roedd y dref yn ymyl, fydden nhw fawr o dro'n cyrraedd. Roedd hi wedi gweld digon i wybod na allai neb yn y Plas ddiffodd y tân heb help y Frigâd.

Fe gafodd y Polîs ar unwaith. Rhyw Sarjiant Tomos, un o'r rhai newydd debyg iawn, meddyliodd, waeth doedd hi ddim yn nabod y llais. Roedd e'n swnio'n gysglyd.

'Tân!' meddai Martha. 'Plas y Gwernos.'

'Plas y Gwernos?' meddai'r llais cysglyd. 'Ydych chi wedi ffonio'r Frigâd Dân?' Sylweddolodd Martha Williams mai'r Frigâd ddylai hi fod wedi ffonio gyntaf. Dyna fyddai hi wedi wneud, meddyliodd, oni bai iddi glywed y chwerthin ofnadwy 'na. Hwnnw oedd wedi gwneud iddi feddwl am y Polîs. Gosododd y ffôn i lawr heb siarad dim rhagor â'r cysgadur y pen arall i'r lein yng Ngorsaf yr Heddlu. Roedd rhif y Frigâd Dân ar gerdyn ar y bwrdd bach oedd yn dal y teliffon. Wrth edrych ar hwnnw syrthiodd ei llygaid ar y cloc mawr ar y wal. Roedd hi'n ddeng munud wedi deuddeg.

Achosodd neges Martha Williams gryn gynnwrf yng ngorsaf y Frigâd Dân. Prin iawn oedd y tanau yng nghylch

Aberteifi. Dim ond ambell das wair neu sgubor fferm weithiau—wedi ei gosod ar dân yn ddamweiniol gan hen drempyn oedd wedi mynnu smygu yn y gwellt.

Ond dyma dân ym Mhlas y Gwernos—un o blasau mawr yr ardal! Roedd rhaid brysio.

Ar ôl rhoi'r ffôn i lawr safodd Martha Williams yng nghanol y neuadd a dechrau gweiddi, 'TÂN! TÂN!' ar dop ei llais. Bron ar unwaith daeth Idwal yn frysiog i lawr y grisiau. Roedd e yn yr un dillad ag oedd amdano'r prynhawn cynt, sylwodd Martha.

'Be sy, Martha?' gofynnodd cyn cyrraedd y llawr.

'O, Idwal bach, mae'r garej ar dân . . . mae'n llosgi'n ulw . . . Dwy ddim yn gwybod ble mae Mishtir . . . '

Aeth Idwal ar ei union at ddrws y cefn. Agorodd ef a gwelodd fod to'r garej wedi syrthio i mewn i'r fflamau. Hyd yn oed yno yn y drws, roedd y gwres yn llethol. Roedd y fflamau'n goleuo pob man.

Yn ôl yn y neuadd roedd Martha Williams newydd sylweddoli y gallai ei meistres fod ar ddihun yn disgwyl i rywun ddod ati. Gwyddai mai araf iawn oedd hi'n gwisgo ei hunan. Gadawodd y neuadd a mynd ar hyd y coridor at ddrws ystafell Edith Huws.

'Dewch miwn,' meddai llais ei meistres pan gurodd y Cwc y drws.

Pan ddaeth Martha i mewn gwelodd Edith Huws ar ei heistedd yn y gwely â'i dwy law ar y gobennydd yn dal ei chorff tenau i fyny. Edrychai fel cannwyll ac roedd ei llygaid yn llosgi yn ei phen.

'Mae'r garej ar dân, Mrs Huws,' meddai Martha.

'O? Helpwch fi, Martha os gwelwch chi'n dda.' Estynnodd ei breichiau tenau at y Cwc. Cydiodd honno ynddi o dan ei cheseiliau a'i gollwng yn dyner i'r gadair olwyn wrth ymyl y gwely.

'Y dresin gown, Martha fach,' meddai. Estynnodd Martha ddresin gown glas golau iddi a helpodd hi i'w gael amdani.

'Rwy i wedi ffonio'r Polîs a'r Frigâd Dân,' meddai Martha.

'Y Polîs?' Edrychodd Mrs Huws yn syn ar y Cwc. 'Oedd eisie ffonio'r Polîs 'te, Martha?'

'Wel, meddwl rown i . . .' Roedd hi ar fin dweud wrthi am y sŵn chwerthin roedd hi wedi ei glywed. Ond meddyliodd mai gwell fyddai peidio â chodi dychryn ar ei meistres.

Dechreuodd Edith Huws ei holwyno ei hun allan o'r ystafell. Ond cydiodd y Cwc yn y gadair a'i gwthio o'i blaen allan i'r neuadd. Erbyn hyn roedd y morynion, tair ohonynt, wedi codi ac yn sefyll yn dwr bach ofnus ar waelod y grisiau.

'Rwy i am fynd i weld . . .' meddai Edith Huws wrth Martha.

Aeth Martha â hi yn ôl i'r cefn. Yn y drws agored safai Idwal yn edrych allan ar y tân.

'Idwal!' meddai Edith Huws.

Trodd Idwal ei ben. 'Peidiwch cael ofn nawr. Dwy i ddim yn meddwl fod y tŷ mewn perygl . . . pe bydde 'na wynt cryf yn chwythu . . .'

'Ond Idwal . . . y tân . . . sut ddechreuodd e? Pwy . . . ?'

'Does gen i ddim syniad.'

'Ond rhaid i ni 'i ddiffodd e ar unwaith.'

'Na, Mam, rwy'n ofni na all neb fynd yn agos i'r lle ar hyn o bryd. Mae e'n llosgi fel ffwrnes . . .'

'Ond . . . Idwal . . .' Roedd golwg gynhyrfus, wyllt ar Edith Huws.

'Mae'r Frigâd Dân ar y ffordd, Mrs Huws . . . fyddan nhw 'ma nawr.' Roedd llais Martha'n grynedig.

Safodd y tri am funud yn edrych allan yn fud ar y garej yn llosgi. Yr oedd yn olygfa frawychus. Yna tra oedd y tri'n gwylio fe glywsant ergyd fel bom yn ffrwydro. Yr eiliad nesaf neidiodd fflamau mawr i'r awyr.

'Beth oedd y sŵn 'na?' gofynnodd Edith yn dawel.

'Dewch,' meddai Idwal, 'mae'n oer i chi sefyll fan hyn. Dewch nawr o'r drafft 'ma.'

Trodd Martha Williams y gadair olwyn a mynd yn ôl ar hyd y coridor. Ni cheisiodd Edith Huws ei rhwystro. Safodd Idwal wedyn am funud wrtho'i hunan yn y drws. Fe wyddai ef beth oedd y sŵn ffrwydro . . . roedd gwres y fflamau wedi byrstio tanc petrol y Rolls.

Rhedodd Cynthia a'i fodryb Marïa tuag ato ar hyd y coridor. Roedd gwallt tenau Marïa yn hongian o gwmpas ei hwyneb smotiog. Roedd golwg ryfedd arni.

'Idwal! Ble mae e? Ble mae e?'

Edrychodd Idwal yn syn arni. 'Ble mae pwy?'

'Henri! Dy dad . . . ble mae e?'

Cyn iddo gael cyfle i ateb roedd Cynthia wedi cydio'n dynn ynddo, â'i dwy fraich am ei wddf.

'O, my God! What an awful blaze, darling! Are you all right?'

'Yes, yes, Cynthia, I'm fine.'

Pan ddaeth yn rhydd o freichiau ei wraig, fe drodd i siarad â'i fodryb Marïa. Ond roedd hi'n mynd yn gyflym yn ôl ar hyd y coridor a'i gown nos laes yn chwifio tu ôl iddi fel baner. Roedd Cynthia yn y drws yn awr yn gwylio rhyfeddod y fflamau. Yn sydyn dyma hi'n gweiddi, *'Idwal, I can see something.'*

'What can you see? What do you mean, something?' Safodd yn ei hymyl yn edrych allan. *'Where?'* gofynnodd.

'There, down by the greenhouse!' Roedd llais Cynthia'n floesg gan ofn.

Edrychodd Idwal i gyfeiriad y gerddi. Gwelodd y peth ar unwaith. Rhyw ffurf gwyn yn y cysgodion . . . ffurf dyn neu ddynes . . . Tra safai'r ddau'n edrych gwelsant y ffurf yn codi llaw wen ac yn ei chwifio i gyfeiriad y Plas, fel pe bai'n ei felltithio.

Yna clywsant yn glir sŵn motor beic yn ergydio'i ffordd i fyny'r lôn tuag at y Plas. Tynnodd Idwal Cynthia o'r drws ac arweiniodd hi yn ôl tua ffrynt y Plas.

Stopiodd y motor beic yn union o flaen drws ffrynt y Gwernos. Aeth y Cwc i weld pwy oedd yno. Gwelodd blisman ifanc a chanddo wyneb crwn, coch.

'Y . . . Sarjiant Tomos ydw i.'

Edrychodd y Cwc braidd yn ddrwgdybus arno. 'Ydych chi'n un o blismyn y dre? Dwy ddim wedi'ch gweld chi o'r blaen.'

'Y . . . na . . . falle naddo fe . . . rwy i'n newydd . . . y . . . fe ges i ffôn . . . '

Y math o blismyn rŷn ni'n gael y dyddie hyn! meddyliodd Martha, ac mae hwn yn Sarjiant hefyd!

'Fi ffoniodd,' meddai'n uchel, 'mae'r garej ar dân.'

'Rown i'n gallu gweld yr awyr yn goch wrth ddod ar hyd y lôn. Mae'r Frigâd Dân ar 'i ffordd . . . '

'Gwell i chi ddod miwn, Sarjiant . . . '

'Tomos.'

Arweiniodd y Cwc y Sarjiant i stafell fawr, urddasol, yn llawn cadeiriau cyffordus, a soffa fawr wedi ei gorch-uddio â thapestri lliwgar. Gwelodd fod yno nifer o bobl, un ddynes mewn cadair olwyn a edrychai mor welw â chorff, tair hogen ifanc, swil y tybiodd y Sarjiant ar unwaith mai morynion oeddynt, dyn ifanc llwyd ei wyneb a gwallt du ganddo ac yn ymyl hwnnw ferch ddigon tlws—yn smocio sigarét yn gyflym gan anadlu'n ddwfn. Gwraig y dyn ifanc, meddyliodd.

'Mae'n ddrwg gen i am yr anffawd . . . y . . . Mrs Huws. Y . . . chi yw Mrs Huws?'

'Ie,' meddai Edith, 'fi yw Mrs Huws. Diolch i chi am ddod, Sarjiant . . . ond dwy ddim yn meddwl . . . dwy ddim yn gwbod beth allwch chi 'neud 'ma. Mrs Williams fan yna ffoniodd—wn i ddim pam . . .'

Yn sydyn torrodd sŵn miwsig ar glustiau pawb—sŵn piano mawr yn cael ei bwnio'n wyllt ac yn ddidrugaredd mewn ystafell arall yn y Plas. Cododd y Sarjiant ei aeliau. Roedd rhywbeth yn rhyfedd o gwmpas y tŷ yma, medd-yliodd . . . rhywun yn pwnio piano tra oedd adeilad tu allan yn llosgi'n ulw. Daeth i'w feddwl atgof am Nero'n canu'r ffidil tra llosgai Rhufain.

Yna roedd y Frigâd Dân wedi cyrraedd.

5

Roedd y Frigâd Dân wedi gorffen ei gwaith ac wedi ymadael ers yn agos i ddwy awr. Erbyn hyn roedd y tân wedi hen ddiffodd ac nid oedd y garej yn ddim ond pentwr hyll o ludw a hwnnw'n dal i fygu ychydig o hyd.

Roedd llwydni'r wawr yn y dwyrain pan benderfynodd Sarjiant Tomos fod rhaid iddo ffonio'r Inspector. Gwyddai'n iawn mai gwaith go beryglus oedd deffro'r Inspector o'i wely am bump o'r gloch y bore, ond teimlai fod yna ddigon o ddirgelion o gwmpas Plas y Gwernos i gyfiawnhau galw ar ei bennaeth heb ragor o oedi. Ble'r oedd perchennog y Plas? A ble'r oedd ei ferch? Wedi holi pawb doedd neb wedi gweld yr un o'r ddau ers tua hanner awr wedi wyth neu naw y noson cynt. Yn y cyfamser roedd y garej wedi llosgi i'r llawr ac roedd y Cwc wedi clywed sŵn chwerthin tu allan, a'r mab a'i wraig wedi gweld rhywbeth tebyg i ysbryd i lawr yn ymyl y tŷ gwydr. Hyn oll oedd wedi gwneud i'r Sarjiant ffonio'r Inspector. Roedd pawb o'r teulu a'r morynion wedi mynd i'w stafelloedd ers amser ac roedd yr hen blas yn dawel o'r diwedd. Eisteddai'r Sarjiant yn un o'r cadeiriau esmwyth. Erbyn hyn roedd tân braf yn cynnau yn y grât. Roedd yr Inspector yn cymryd ei amser, meddyliodd.

Clywodd glic sydyn tu ôl iddo. Roedd y drws wedi agor. Gan fod cefn y gadair freichiau fawr rhyngddo a'r drws, ni allai weld pwy oedd wedi ei agor. Penderfynodd eistedd yn berffaith lonydd. A oedd pwy bynnag oedd newydd ddod i mewn i'r ystafell yn gwybod ei fod ef yno? Ni allai aros rhagor heb weld pwy oedd ei ymwelydd distaw. Trodd ei ben yn sydyn gan edrych heibio i gefn y gadair. Gwelodd y ddynes wyllt yr olwg oedd wedi bod yn canu'r piano tra oedd y garej ar dân. Miss Jones—Marïa Jones. Roedd hi'n edrych am rywbeth, meddyliodd. Ond yr eiliad honno roedd hi wedi ei weld.

'O . . . y . . . hylô, Sarjiant . . . y . . . maddeuwch i fi . . .'

'Oeddech chi'n edrych am rywbeth, Miss Jones?'

'O na, dim byd.' Chwarddodd yn ansicr. 'Chwilio am rywbeth wir, yr amser 'ma o'r nos!'

'Nos? Mae'n fore nawr, Miss Jones. Mae'n hanner awr wedi pump bron. Eisteddwch, Miss Jones, os oes amser gyda chi. Rwy'n disgwl yr Inspector.'

'O? Yr Inspector?'

'Ie, fe fydd e 'ma unrhyw funud. Eisteddwch i gadw cwmni i fi.'

'Wel, dim ond am funud 'te.'

Eisteddodd gyferbyn â'r Sarjiant, ar ymyl y gadair, ac estynnodd ei dwylo tenau at wres y tân. Roedd hi wedi gwisgo sgert frethyn a chardigan erbyn hyn.

'Oes gennych chi syniad ble mae Mr Huws a'i ferch?' gofynnodd Sarjiant Tomos.

'Na, does gen i ddim syniad ble mae Henri . . . ond mae gen i syniad go lew ble mae Olwen . . .'

'O? Ble mae hi, Miss Jones?'

'Falle bod 'i chariad wedi dod i'w mofyn hi neithiwr yn ystod y nos, heb yn wbod i Henri.'

'Roedd cariad gyda hi oedd e?'

'O oedd. Roedd Henri yn gynddeiriog pan ddaliodd e'r ddau yn cusanu yn y garej ddoe . . . neu echdoe oedd hi?'

'Pwy oedd gyda Miss Hughes yn y garej, Miss Jones?'

Roedd y Sarjiant wedi unioni yn ei gadair. Gwyddai fod y cwestiwn yn bwysig, a'r ateb iddo'n bwysicach fyth.

'Ha, ha . . . fe hoffech chi gael gwbod, Sarjiant.'

'Rwy'n ofni y bydd *rhaid* i fi gael gwbod, Miss Jones.' Roedd llais y Sarjiant wedi caledu.

'O? Wel, fe ddweda i wrthoch chi . . . Simpson y

chauffeur. Mae e wedi cael y sac . . . wedi gorfod 'madael ar unwaith . . .'

Yna clywodd y ddau sŵn car yn dod yn gyflym i fyny'r lôn.

Cododd y Sarjiant ar ei draed. 'Maddeuwch i fi, Miss Jones, rwy'n meddwl fod car yr Inspector wedi cyrraedd. Fe gawn ni sgwrs fach 'to.'

'Mae Edith yn ypset iawn, Sarjiant.'

Ond roedd y Sarjiant yn mynd at y drws erbyn hyn ac ni chymerodd sylw ohoni.

Yr oedd yr Inspector wrth y drws pan agorodd y Sarjiant ef.

'Wel, Sarjiant Tomos . . . *it had better be good*! Roedd hi'n hwyr arna i'n mynd i'r gwely neithiwr . . . beth sy'n mynd ymla'n 'ma?'

'Dewch mewn, Inspector. Mae'n oer yn y bore bach fel hyn.'

Arweiniodd y ffordd drwy'r coridor yn ôl i'r ystafell gynnes lle bu'n disgwyl am yr Inspector. Ddywedodd e ddim ei fod e wedi colli noson gyfan o gwsg oherwydd y digwyddiadau yma yn y Plas.

Doedd dim sôn am Marïa pan ddaethon nhw mewn.

'Wel, rhowch fi yn y pictiwr, Sarjiant Tomos. Beth sy wedi digwydd 'ma, ar wahân i'r tân yn y garej?'

'Mae'r perchennog, Henri Teifi Huws, a'i ferch wedi diflannu.'

'Y Nefoedd fawr! Dyna ddeëlles i chi'n ddweud ar y ffôn. Rown i'n meddwl mai breuddwydio rown i. Oes gyda chi unrhyw reswm dros gredu . . . neu feddwl fod . . . y . . . *foul play*, Sarjiant?'

Safodd y Sarjiant â'i gefn at y tân a chrafodd ei ben.

42

'Wel, Inspector, rwy i newydd glywed fod ffrae wedi bod 'ma ddoe neu echdoe.'

'Ffrae?'

'Ie. Fe ddaliodd y tad—Mr Huws—y ferch gyda'r *chauffeur* . . . yn y garej . . . yn caru.'

'A! *The plot thickens*, Sarjiant Tomos. A ble mae'r *chauffeur* nawr?'

'Mae e wedi ca'l y sac gan y gŵr bonheddig . . . ar unwaith mae'n debyg . . . fe aeth o 'ma ddoe.'

'O ie. Wel, oes rhai syniadau yn eich pen chi, Sarjiant? *Any ideas*?'

'Wel, rwy i wedi ceisio peidio dod i unrhyw benderfyniad nes bydda i wedi clywed beth sy gan yr aelode o'r teulu a'r staff i'w ddweud . . . ond . . .'

'Ie?'

'Wel, beth am hyn, Inspector . . .?'

Eisteddodd yr Inspector mewn cadair esmwyth.

'Ie, ewch ymla'n.'

'Mae'r *chauffeur* yn ddig iawn wrth 'i hen feistr am roi'r sac iddo, ac am ei orfodi i beidio gweld y ferch byth rhagor. Mae'r ferch yn ddig wrth 'i thad hefyd. Mae'r *chauffeur* yn dod 'nôl neithiwr ar ôl iddi dywyllu. Mae e'n ffendio'i ffordd i stafell y ferch, ac mae'r ddau'n cytuno i fynd i ffwrdd gyda'i gilydd.'

'*Elopement*, iefe? Ond dyw hynna ddim yn egluro'r tân yn y garej na'r ffaith fod y tad wedi diflannu. Rhaid i chi 'neud yn well na hynna, Sarjiant. Rwy'n siomedig ynoch chi.'

'Ond mae'r tad yn 'u dala nhw cyn iddyn nhw gael cyfle i ddianc. Mae'n mynd yn ymladd rhwng y gŵr bonheddig

43

a'r *chauffeur* . . . ac mae'r gŵr bonheddig yn ca'l 'i glwyfo'n angheuol. Beth maen nhw'n 'neud wedyn?'

'Mae'r ferch yn mynd 'nôl i ddweud wrth 'i mam ar unwaith. Os yw hi'n meddwl rhywbeth o gwbwl o'i thad dyw hi ddim yn mynd i redeg bant gyda'r dyn sy wedi lladd 'i thad.'

'Wedi'i ladd e'n ddamweiniol, Inspector, cofiwch. A pheth arall, dyw'r ferch ddim yn meddwl dim am 'i thad . . .'

'Ydych chi'n gwbod hynny?'

'Na. Ond os ca' i fynd ymla'n.'

'Bant â chi, i ni gael clywed diwedd y ddamcaniaeth wyllt 'ma sy gyda chi Sarjiant.'

Gwgodd y Sarjiant. 'Wel, y . . . falle bydde hi'n well i ni aros cyn . . .'

Gwenodd yr Inspector. 'O'r gore, o'r gore, rwy'n tynnu 'ngeirie 'nôl . . . mae unrhyw ddamcaniaeth yn well na dim un o gwbwl. Ewch ymla'n os gwelwch chi'n dda.'

'Wel, maen nhw'n benderfynol o fynd i ffwrdd gyda'i gilydd. Maen nhw wedi gwylltu a dŷn nhw ddim yn siŵr beth i'w wneud. Mae'r *chauffeur* yn llusgo'r corff mewn i'r garej, yna mae e'n arllwys petrol ar y llawr ac yn rhoi matsien iddo.'

'Beth? Llosgi'r corff? I beth?'

'I geisio'i guddio fe . . . yn lle bod neb yn dod o hyd iddo fe nes byddan nhw wedi mynd yn ddigon pell . . . falle dros y dŵr . . .'

Cododd yr Inspector ar 'i draed.

'Ydych chi'n dweud fod corff Mr Henri Teifi Huws i mewn yn adfeilion y garej?'

'Fe all fod.'

'Nonsens. Ond fe fydd rhaid chwilio pob modfedd o'r lludw 'na cyn gynted ag y daw hi'n ddigon gole. Fe ffonia i mewn munud am sgwad . . . ond mi fetia i hanner coron nad yw esgyrn Henri Teifi Huws ddim yn y garej.'

'Wel, oes rhyw ddamcaniaeth gyda *chi* 'te, Inspector?'

'Wel, wrth gwrs bod e.'

'Wel?'

'Dyma hi . . . ac mae'n dipyn mwy call na'r un ŷch chi newydd roi o mla'n i. Mae'r carwr yn dod 'nôl ac mae e a'r ferch yn penderfynu rhedeg bant—fel rŷch chi wedi awgrymu. Cyn mynd—mae'r *chauffeur* yn 'i ddicter tuag at y gŵr bonheddig sy wedi rhoi'r sac iddo—yn rhoi'r garej ar dân. Yna mae e a'r ferch yn mynd. Ond mae'r tad yn 'u gweld nhw. Mae e'n codi ac yn mynd ar 'u hôl nhw mewn car. Mae car gan y *chauffeur* hefyd . . . a dyna lle maen nhw nawr . . . y ferch a'r *chauffeur* yn ceisio ffoi yn y car a'r tad ar 'u hole nhw'n ceisio'u rhwystro nhw.'

'Gobeithio mai'r ddamcaniaeth 'na sy'n iawn, Inspector.'

Agorodd y drws a daeth y Cwc, Martha Williams, i mewn.

'O, Inspector, rŷch chi wedi dod? Fe ddes i mewn i gynnig cwpaned o goffi i'r Sarjiant.'

'A, diolch, Mrs Williams, fe fydd cwpaned o goffi yn dderbyniol iawn. A chithe Inspector?' gofynnodd y Sarjiant.

'Os gwelwch chi'n dda, wir, Mrs Williams.'

Aeth yr Inspector at y ffenest a thynnodd y llenni trwchus yn ôl. Yr oedd hi wedi llwyd-ddyddio.

'O'r gore, Sarjiant, mae'n ddydd. Ble mae'r ffôn?'

Cyn i'r Sarjiant gael amser i ateb clywodd y ddau sŵn nodau trymion piano yn torri ar y distawrwydd.

'Y Nefoedd fawr! Beth yn y byd . . .'

'Miss Jones, Inspector . . . Miss Marïa Jones . . . roedd hi wrthi'n gyson o dri o'r gloch i bedwar . . . a nawr mae wedi dechre 'to. Mae hi . . . wel . . .'

'Yn wan yn 'i phen?'

'Ie, Inspector—dipyn *bach* yn od.'

6

Roedd pedwar plisman ifanc yn rhofio'r rwbel a'r lludw du oddi ar lawr y garej. Ymhen tipyn daethant o hyd i sgerbwd y Rolls . . . dim ond pentwr anniben o fetel bellach, a'r gwres wedi gadael gwawr goch ar hwnnw. Roedd pob tamaid bach o'r sglein wedi mynd, a dim ond gwifrau hyll oedd i'w gweld lle bu'r seddau lledr esmwyth. Fel y taflai'r plismyn y lludw a'r sbwriel allan drwy'r drws, fe edrychai'r Inspector a'r Sarjiant yn fanwl ar bob rhofiad i weld a oedd unrhyw gliw neu arwydd i ddweud wrthynt beth oedd wedi digwydd. Ac o'r ffenestri uwchben roedd llygaid yn eu gwylio hwythau'n dawel bach.

Fe glywodd y ddau sŵn clwc y benglog yn disgyn ar y llawr concrit tu allan i'r garej. Wrth iddo daro'r llawr syrthiodd y lludw a'r sbwriel oddi arno a daeth socedi gwag y llygaid i'r golwg a'r tyllau lle bu'r ffroenau. Plisman ifanc o'r enw Islwyn Jones oedd wedi ei daflu allan. Nid oedd ef wedi sylwi dim fod penglog yn gymysg â'r lludw ar ei raw.

46

'Wel?' meddai'r Inspector gan edrych i fyw llygad y Sarjiant.

'Roeddwn i'n ofni . . .' meddai hwnnw.

'Wel, codwch e lan, Sarjiant, yn lle edrych arno fe ar y llawr fan'na. Hei fechgyn, peidiwch rhofio rhagor am funud.'

Daeth y plismyn allan o'r garej. Cododd Sarjiant Tomos y benglog yn ofalus o'r llawr. Edrychodd pawb yn graff ar y peth.

'Pwy yw e, Sarj?' gofynnodd Islwyn Jones. Edrychodd yr Inspector yn wawdlyd arno.

'Pwy wyt ti'n feddwl yw e, Jones? Y *Piltdown Man*?' Yna ychwanegodd, 'Mae'n rhy fuan eto i ddweud pwy yw e neu hi.'

'Fe ddylai'r dannedd 'ma ein helpu ni, Inspector,' meddai Sarjiant Tomos. 'Welwch chi, mae'r rhes ucha'n eisie i gyd ond y chwech dant blaen.'

Edrychodd yr Inspector yn fanwl.

'Dannedd gosod!' meddai.

'Ie, a'r rheini wedi toddi yn y gwres, tra mae'r dannedd naturiol wedi dal y gwres i gyd. Fe fydd hwn yn hawdd i'w nabod mae'n siŵr gen i, er 'i fod e wedi cael 'i gremeto mewn fan'na neithiwr.'

'*Exhibit* "A", Sarjiant Tomos. Y Nefoedd fawr, fe fydd rhaid i ni ofalu am hwn. Rhaid i ni gael rhyw gist neu ryw-beth, waeth mae'n debyg fod y gweddill o'r esgyrn mewn fan'na yng nghanol y lludw.'

Aeth at ddrws y cefn ac i mewn i'r Plas gan adael y Sarjiant yn y man yn dal y benglog o hyd.

'O'r gore, 'nôl at eich gwaith fechgyn, a byddwch yn

ofalus nawr. Jones, dangos i ni ble'r oeddet ti'n sefyll pan daflest ti'r peth 'ma mas.'

Aeth y cwnstabl i mewn i'r garej eto. Cerddodd drwy'r rwbel at ben blaen y sgerbwd modur oedd wedi bod unwaith yn Rolls Royce.

'Fan yma, Sarjiant,' gwaeddodd.

'O'r gore, gan bwyll bach nawr 'te!' gwaeddodd hwnnw.

Dechreuodd y plismyn rofio eto, yn ddistaw yn awr ac yn ddifrifol.

Daeth yr Inspector allan gan lusgo hen gist fawr, debyg iawn i'r cistiau a oedd gan weision a morynion gynt, yn cadw'u pethau. Un fetel oedd hi a gwnâi sŵn sgrechlyd ar y concrit wrth i'r Inspector ei llusgo ar hyd-ddo.

'Pw!' meddai, pan ddaeth gyferbyn â Sarjiant Tomos. 'Mae *off* mewn yn y tŷ, Sarjiant. Maen nhw wedi dod i wybod rywsut ein bod ni wedi dod o hyd i'r . . . peth 'na. Roedden nhw siŵr o fod yn ein gwylio ni trwy'r ffenestri. Maen nhw eisie dod mas i weld . . . ond y Nefoedd fawr . . . allan nhw ddim dod ffor' hyn o dan ein tra'd ni nawr.'

'Hei, Inspector!' meddai Sarjiant Tomos.

'Be sy?'

'Edrychwch pwy sy'n dod!'

Edrychodd yr Inspector a gwelodd ddyn mewn siwt frethyn liwgar yn dod tuag atynt heibio i dalcen y Plas.

'Ifans y *Mail*! Myn brain i, Sarjiant Tomos, rhowch hwnna mewn yn y gist 'na ar unwaith, cyn i'r gwalch 'ma 'i weld e, neu fe fydd y stori wedi ffrwydro i'r entrychion cyn i ni gael ein gwynt aton ni.'

Agorodd y Sarjiant glawr y gist yn frysiog, gan droi ei

gefn ar y newyddiadurwr oedd yn dod yn gyflym tuag atynt, er mwyn i hwnnw beidio â gweld y peth oedd ganddo yn ei law. Ni wnaeth hynny eiliad cyn pryd.

'Hylô 'ma, Inspector!' gwaeddodd Ifans y *Mail*. Erbyn hynny roedd e wrth ysgwydd Sarjiant Tomos. Gollyngodd hwnnw'r benglog i'r gist a gwnaeth y peth sŵn rhyfedd wrth ddisgyn i'r gwaelod. Yna gollyngodd y Sarjiant y clawr i lawr—bang!

'Wel, Mr Ifans,' meddai'r Inspector, gan anadlu anadl o ryddhad yr un pryd. 'Beth ddaeth â chi ffor' hyn mor fore?'

'O, fe gawson ni'r newydd fod y Frigâd wedi bod mas neithiwr, a bod 'na dân mowr wedi bod 'ma. Mae tân ym Mhlas y Gwernos yn *news*, Inspector!'

'Do, fel y gwelwch chi, fe fuodd 'ma dân. Ond dim ond yn y garej diolch i'r drefn. Pe bydde'r gwynt o gyfeiriad arall mae'n bosib . . .'

'Beth mae'r bechgyn yn 'neud fan'co, Inspector?'

'O, clirio tipyn o'r rwbel, Ifans.'

'Ydych chi'n edrych am rywbeth 'te?'

'Clirio, Mr Ifans, dyna i gyd.' Roedd llais yr Inspector yn fwy diamynedd yn awr. Roedd rhaid iddo gael gwared o'r dyn yma cyn gynted ag y gallai. Ond byddai rhaid ceisio gwneud hynny heb roi'r syniad iddo fod yr Heddlu'n ceisio cuddio dim. Ofnai yn ei galon y byddai'r plismyn yn rhofio rhagor o esgyrn allan unrhyw funud.

'Oes gennych chi syniad sut yr aeth y garej ar dân?' gof-ynnodd Ifans.

'Dim syniad o gwbwl ar hyn o bryd. Fe alle rhywun fod wedi gadel stwmpyn sigarét . . . lle mae petrol . . . mae hynny'n ddigon.'

Yn sydyn plygodd Ifans a chodi caead y gist. Am foment hir edrychodd ar y benglog oedd fel petai'n ysgyrnygu arno. Yna gollyngodd glawr y gist a throdd i edrych ar yr Inspector.

'Wel, wel!' meddai, a'i lygaid yn pefrio tu ôl i'w sbectol drwchus, 'mae'r stori yma'n fwy nag own i wedi meddwl. Nawr, Inspector, maddeuwch i fi am ddweud hyn . . . ond . . . y . . . dwy ddim yn teimlo eich bod chi wedi gwneud yn deg iawn â'r *Press* wrth geisio cuddio ffeithie pwysig. Cofiwch mae gen i ddyletswydd tuag at y Cyhoedd . . . y *Public*, Inspector. Nawr, os gwelwch chi'n dda, syr, ga' i wybod be sy wedi digwydd 'ma?'

'Ifans,' meddai'r Inspector, 'mae'n rhy fuan i roi dim gwybodaeth i'r Wasg eto. Wyddon ni ddim be sy wedi digwydd 'ma. Ond fe ddweda i gymynt â hyn . . . mae'r gŵr bonheddig—Mr Huws—a'i ferch—ar goll . . .'

Edrychodd y newyddiadurwr i fyw ei lygad.

'Ar goll? Y ddau?'

'Ar hyn o bryd. Falle byddan nhw'n troi lan unrhyw funud . . .'

Ond nid oedd Ifans yn gwrando. Roedd ei lygaid wedi eu hoelio ar y gist. O, roedd stori fawr iawn fan yma, meddyliodd.

Yna daeth gwaedd o du mewn y garej. Roedd un o'r cwnstabliaid wedi taro ar ysgerbwd dynol.

Pan ddaeth yr Inspector, y Sarjiant a'r newyddiadurwr i mewn gwelsant nad oedd y cnawd wedi llosgi ymaith yn llwyr ym mhobman fel ar y benglog. Roedd hyd yn oed ddarnau o frethyn heb losgi'n llwyr. Roedd y corff wedi bod yn ei ddau ddwbwl tra bu'r garej yn llosgi, ac yn y plygiad rhwng ei goesau a'i gorff doedd y tân ddim wedi gallu gwneud ei waith, o ddiffyg awyr. Winciodd yr Inspector ar Sarjiant Tomos a deallodd hwnnw fod ei bennaeth yn falch fod y tân wedi gadael rhywbeth i'w helpu i nabod y person yma.

Yn fuan iawn roedden nhw wedi cael esgyrn y coesau a'r breichiau. Rhoddodd yr Inspector orchymyn i ddod â'r gist i mewn i'r garej yn awr, rhag i lygaid o'r Plas weld y darganfyddiadau diwethaf hyn. Rhoddwyd y cyfan yn y gist fawr, ac aeth y chwilio a'r rhofio ymlaen. Ymhen tipyn daeth yr hen gar i gyd i'r golwg, neu hynny a oedd ar ôl ohono. Roedd y llyw'n sefyll i fyny fel mast llong ac roedd twll anferth yn y tanc petrol lle'r oedd e wedi ffrwydro yn y gwres.

Yna cododd y Cwnstabl Islwyn Jones rywbeth o'r llawr —rhywbeth a edrychai ar yr olwg gyntaf yn ddim mwy na darn o'r car mawr wedi cwympo ymaith. Rhoddodd y cwnstabl ef i Sarjiant Tomos.

'Inspector!' meddai hwnnw ar unwaith bron.

'Ie?'

'Edrychwch ar hwn!'

'Beth yw e, Sarjiant?'

'Gwn . . . reiffl ysgafn . . . ac mae 'na *silencer* wrtho fe. Mae'r stoc wedi llosgi i ffwrdd i gyd fel y gwelwch chi . . . ond does dim dadl . . . reiffl yw e.'

'Y Nefoedd fawr . . . beth nesa dwedwch?' meddai'r Inspector.

'Llofruddiaeth? *Murder*, Inspector?' meddai Ifans y *Mail*. Roedd ei wyneb a'i lygaid yn disgleirio.

Trodd yr Inspector ato.

'Ifans,' meddai, 'dim un gair am hyn i'r Wasg nes bydda i wedi rhoi caniatâd. Ydych chi'n deall?'

51

'Ond Inspector! Mae hon yn stori fawr—mae'n sgŵp! Alla i ddim eistedd ar hon!'

Gwthiodd yr Inspector ei ên allan. 'Fe fydd rhaid i chi, Ifans—am bedair awr ar hugain, dyna i gyd rwy'n ofyn.'

'Ond, Inspector . . .'

'Rwy i wedi dweud, Ifans, pedair awr ar hugain—nes byddwn ni wedi cael pictiwr o'r hyn sy wedi digwydd . . .'

7

Roedd *general call* wedi mynd allan am y *chauffeur* ac am Olwen Huws. Cafwyd y cyfeiriad oedd ar gist Simpson gan y clerc yng ngorsaf y rheilffordd, ac fe aeth yr Inspector ar y ffôn i Lundain ar unwaith.

Yn awr eisteddai'r Sarjiant ac yntau yn ystafell fawr Edith Huws. Roedd Edith yn ei chadair olwyn ac wedi gwisgo amdani erbyn hyn.

'Oedd gwn gan eich gŵr, Mrs Huws?' gofynnodd yr Inspector.

'Oedd, dau neu dri . . . tri rwy'n meddwl.'

'Ble maen nhw nawr?'

'Mae dau yn y tŷ 'ma, ac mae un yn y tŷ gwydr.'

'Yn y tŷ gwydr?' gofynnodd y Sarjiant, gan godi ei aeliau.

'Ie. Roedd e'n cael 'i gadw yno er mwyn bod wrth law i saethu brain neu sguthanod os bydden nhw'n dod i'r gerddi.'

'Sarjiant,' meddai'r Inspector, 'ewch i lawr i mofyn e 'newch chi?'

52

Cododd y Sarjiant ar unwaith ac aeth allan trwy'r drws.

'A nawr—y ddau arall, Mrs Huws?'

'Maen nhw yn y llyfrgell. Mae un yn hongian ar y wal wrth ben y lle tân. Mae e'n hen un a dwy ddim yn credu fod neb wedi'i danio fe er pan ddaeth e 'ma . . . Mae'r llall y tu ôl i'r cwpwrth yn y llyfrgell. Hwnnw fydde . . . 'ngŵr yn 'i ddefnyddio pan fydde fe'n . . . doedd e ddim yn mynd mas i saethu'n amal iawn . . .'

'Mrs Huws,' meddai'r Inspector, gan edrych i fyw ei llygaid duon. 'Rŷch chi'n gwbod, wrth gwrs, erbyn hyn, ein bod ni wedi dod o hyd i gorff . . . y . . . neu . . . sgerbwd . . .'

Stopiodd yn sydyn wrth weld yr olwg boenus ar ei hwyneb gwyn.

'Roeddech chi *yn* gwbod?' meddai wedyn, mewn llais mwy tyner.

'Oeddwn.' Roedd ei llais mor isel fel mai prin y gallai'r Inspector ei chlywed.

'Ac fe fyddwn ni'n gofyn i chi . . . yn nes ymlaen heddi . . . i edrych ar rai pethe . . . y . . . darn o frethyn yn arbennig . . . un tywyll . . . i weld a fedrwch chi ein helpu ni i wbod pwy . . . Mae'n ddrwg iawn gen i . . .'
Unwaith eto, teimlodd yr Inspector na allai fynd yn ei flaen.

'Oedd dannedd gosod gan eich gŵr?' gofynnodd wedyn.

'Oedd. Rhyw hanner set, ar lan.'

'Ie. A'ch merch . . . oedd dannedd gosod ganddi hi?'

'Na. Dyw Olwen erioed wedi bod gyda'r *dentist*, Inspector.'

'O.'

'Pam rŷch chi'n holi ynglŷn â dannedd gosod 'te, Inspector?'

Yna lledodd hanner gwrid dros ei bochau gwelw, a gwyddai'r Inspector ei bod wedi deall pam cyn iddo ef orfod egluro.

'Gawn ni fynd i edrych a yw'r ddau wn yn y llyfrgell?' gofynnodd.

Pan ddaeth y ddau i'r llyfrgell, gwelodd yr Inspector y gwn ar y mur uwchben y tân ar unwaith, a daeth hanner gwên i'w wyneb. Roedd e'n perthyn i'r cyfnod pan oedd pobl yn gorfod llwytho eu gynnau trwy'r baril—cyn bod cetrys!

'Tu ôl i'r cwpwrth fan'co mae'r llall, Inspector.'

Pwyntiodd at ben pellaf y llyfrgell ac aeth yr Inspector i edrych. Gwelodd wn dwbwl baril gloyw a chostus yr olwg yn pwyso yn erbyn y wal. Tynnodd ef allan o'i guddfan a chodi'r ddau faril at ei ffroenau. Nid oedd arogl powdwr o'u cwmpas ac felly nid oedd yn ymddangos fod y gwn wedi ei danio ers peth amser.

*　　*　　*

Pan aeth Sarjiant Tomos i mewn i'r tŷ gwydr gwelodd ddyn gweddol dal a sbectol drwchus iawn ganddo.

'Hylô 'na!' meddai'r Sarjiant. 'Beth yw'ch enw chi?'

'Fi? O . . . y . . . Daniel. Fi yw Garddwr y Plas.'

'O ie. Sarjiant Tomos ydw i . . . o'r dre.'

'Ie.' Roedd rhywbeth yn anesmwyth iawn ynghylch y dyn, meddyliodd y Sarjiant. Roedd e'n symud pwysau ei gorff o un goes i'r llall o hyd.

'Beth allwch chi ddweud wrthon ni am yr hyn sy wedi digwydd 'ma neithiwr?' gofynnodd.

'Pwy, fi? Beth alla i ddweud wrthoch chi, Sarjiant?'

'Welsoch chi ddim byd?'

'Na. Dwy ddim yn byw yn y Plas. Rwy'n byw yn nes i'r dre . . . rhyw filltir o 'ma, ac rwy'n rhoi fyny gwaith am bump yr amser hyn o'r flwyddyn fynycha.'

'Rwy'n deall fod gwn gyda chi 'ma.'

Syrthiodd distawrwydd llethol rhwng y ddau.

'Y . . . gwn?' meddai'r Garddwr.

'Ie, ie. Ble mae e?' Roedd llais y Sarjiant yn ddiamynedd.

'Does 'na ddim un gwn 'ma, Sarjiant, wir i chi.'

'Ond fe ddwedodd Mrs Huws eich bod chi'n cadw gwn lawr 'ma ar gyfer saethu brain a sguthanod!'

'Do . . . y . . . fe fuodd gwn 'ma rywbryd, ond dyw e ddim 'ma nawr.'

'Ble mae e wedi mynd?'

'Does gen i ddim syniad.'

'Ydych chi'n fodlon i fi edrych rownd y lle 'ma?'

'Ydw; ond dyw e ddim 'ma.'

'Gawn ni weld. Os nad yw e 'ma, Daniel, fe fydd gan yr Inspector a finne rai cwestiyne go bwysig i ofyn i chi.'

'Fyddwch chi naws gwell o'n holi i, Sarjiant.'

Edrychodd y Sarjiant ym mhob twll a chornel yn y tŷ gwydr ond nid oedd sôn am y dryll yn unman. Wrth gwrs fe allai fod yn eu meddiant yn barod—y gwn oedd wedi ei dynnu o ludw'r tân.

'Fe fydd rhaid i ni ddod o hyd i'r gwn 'na Daniel, cyn byddwn ni wedi gorffen ein hymoliade yn y lle 'ma. Meddyliwch am hynna 'newch chi?'

Aeth allan o'r tŷ gwydr ar hynny a cherdded yn feddyl-gar i fyny'r llwybr at y Plas. A oedden nhw ar drywydd rhywbeth? Roedd gwn ar goll o'r tŷ gwydr ac roedden nhw wedi dod o hyd i un wedi hanner llosgi yn y garej. A oedd gan y Garddwr drwg ei olwg rywbeth i'w wneud â'r hyn oedd wedi digwydd? Byddai rhaid edrych i mewn yn fanwl i gefndir y dyn yma, meddyliodd.

Pan gyrhaeddodd yn ôl i'r Plas roedd yr Inspector a Mrs Huws wedi cyrraedd yn ôl o'r llyfrgell. Cyn gynted ag y gwelodd y Sarjiant yn dod i mewn, dywedodd yr Inspector,

'A nawr, Mrs Huws, os ydych chi'n teimlo'n ddigon cryf ac yn ddigon . . . y . . . fe garen ni pe baech chi'n edrych ar hwn sy gen yn 'y mhoced fan yma.' Tynnodd allan y darn brethyn tywyll wedi ei lapio mewn darn o bapur newydd.

'Beth yw e?'

'Mae'n rhaid i fi ddweud wrthoch chi, ein bod ni wedi dod o hyd i hwn ar y corff . . . darn o frethyn yw e. Fedrwch chi ddweud wrthon ni a oedd eich gŵr yn gwisgo dillad o'r brethyn yma pan welsoch chi e ddiwetha?'

Aeth ymlaen at y gadair olwyn gan estyn y darn brethyn iddi gael golwg iawn arno.

Bu Edith Huws yn edrych yn hir ar y peth yn llaw'r Inspector â'i phen yn plygu mlaen. Yn y distawrwydd roedd sŵn tician y cloc i'w glywed yn uchel. Yna sylwodd Sarjiant Tomos ar ddeigryn mawr yn disgyn yn ddistaw i'w chôl.

'Ie, Mrs Huws?' meddai'r Inspector yn dawel.

Cododd y cripil ei hwyneb a gwelsant ragor o ddagrau'n cronni yn ei llygaid.

'Oedd, Inspector.'

Ni ddywedodd yr un o'r ddau blisman yr un gair am

foment, dim ond edrych ar ei gilydd. Yna aeth Edith Huws ymlaen mewn llais tawel a digynnwrf.

'Ac mae yna set arall o ddannedd gosod—un sbâr—ar y llofft yn stafell wely 'ngŵr. Fe fydd y rheini o help i chi rwy'n siŵr.'

'Diolch, Mrs Huws,' meddai'r Inspector. 'Mae'n ddrwg iawn gyda ni'n dau am yr hyn sy wedi digwydd ac am ein bod ni'n gorfod eich poeni chi fel hyn. Ond rwy'n addo i chi, Mrs Huws, na fyddwn ni ddim yn gorffwys nes byddwn ni wedi dod o hyd i'r person sy'n gyfrifol am yr hyn sy wedi digwydd.'

Ysgydwodd Mrs Huws ei phen yn llesg.

'Gobeithio na ddewch chi byth o hyd iddo, Inspector,' meddai mewn llais nad oedd fawr iawn mwy na sibrwd. Edrychodd y ddau blisman ar ei gilydd eto.

'Ond Mrs Huws . . .' meddai'r Inspector.

Ysgydwodd gwraig y Plas ei phen. 'Mae 'ngŵr wedi mynd, Inspector, rwy'n siŵr o hynny nawr. Pe baech chi'n gallu dod ag e 'nôl i fi, fe fyddwn i'n gweddïo arnoch chi i wneud . . . ond gan na allwch chi ddim gwneud hynny . . . fe fydde'n well gen i . . .'

'Mrs Huws!' Roedd llais yr Inspector wedi codi. 'Rhaid i fi'ch rhybuddio chi! Peidiwch â dweud rhagor os ŷch chi'n gall. Fe wyddoch chi cystal â finne y bydd rhaid i ni wneud popeth yn ein gallu i ddatrys y dirgelwch 'ma.'

Ysgydwodd Edith Huws ei phen eto fel pe bai wedi hen flino.

'Ie, fe fydd rhaid cael y llygad am lygad a'r dant am ddant mae'n debyg. Wel, maddeuwch i fi, Inspector, ond chewch chi ddim help gen i.' Yn sydyn torrodd i wylo'n hidl yn ei phlyg yn ei chadair olwyn. Torrodd sŵn ei hochneidio trwm ar draws y distawrwydd, ac o bob sŵn, meddyliodd Sarjiant Tomos, dyna'r sŵn mwyaf trist a glywsai erioed.

Estynnodd yr Inspector ei law at y gloch a chanodd hi. Cyn i neb gael amser i ddweud dim agorodd y drws a cherddodd Jim—y cochyn mawr—i mewn. Safodd ar ganol y llawr gan edrych ar ei feistres, ac yna ar y ddau blisman. Yr oedd gwg ffyrnig ar ei wyneb. Clywodd un o ochneidiau torcalonnus Edith Huws a throdd yn fygythiol at yr Inspector a'r Sarjiant.

'Beth ŷch chi wedi 'neud iddi?' gofynnodd. 'Damio chi!' Cymerodd gam yn nes at yr Inspector.

'Peidiwch â chynhyrfu ddyn!' meddai'r Inspector, yr un mor fygythiol ag yntau.

'Gadewch lonydd iddi, ŷch chi'n deall?' Roedd dau ddwrn y cochyn ynghau.

'Jim!' Llais tawel Mrs Huws o'r gadair olwyn.

'Mistres?'

'Trio'n helpu ni maen nhw, Jim.'

'O?'

'Mrs Huws,' meddai'r Inspector, 'awn ni ddim i boeni rhagor arnoch chi nawr. Fe fydd rhaid i ni gael chwilio pob rhan o'r Plas, ac fe fydd rhaid i ni holi pawb. Rwy'n cymryd yn ganiataol na fydd gennych chi ddim gwrth-wynebiad i hyn?'

Ysgydwodd Edith Huws ei phen ond ni ddywedodd air.

8

'Pwy gynta yn eich barn chi, Sarjiant?' gofynnodd yr Inspector. Meddyliodd y Sarjiant am funud.

'Miss Marïa Jones rwy'n meddwl, Inspector.'

'Ond fachgen, mae honno'n—y—hurt . . . yn . . . wel chi'n gwbod beth rwy'n feddwl . . . dyw hi ddim 'na i gyd!'

Gwenodd y Sarjiant. 'Gan y gwirion y ceir y gwir, medde'r hen air, Inspector.' Gwenodd ei bennaeth arno.

'Ie, falle'ch bod chi'n iawn, Sarjiant Tomos—fel roeddech chi'n iawn fod corff yn y garej . . . y . . . mae arna i hanner coron i chi . . .'

'O na hidiwch nawr, Inspector . . .'

Anfonodd yr Inspector y forwyn fach, Anna, i mofyn Marïa. Roedd Anna'n un fach ddel iawn ac roedd hi at alwad pawb. Byddai'n helpu'r Cwc yn aml, yn taenu'r gwelyau ar y llofft, yn tendio Mrs Huws yn ei hystafell ac yn y blaen ac yn y blaen. Ond roedd hi'n sionc a dirwgnach bob amser. Yn awr roedd hi'n curo wrth ddrws ystafell wely Marïa.

'Miss, mae'r Inspector a'r Sarjiant yn gofyn a ddewch chi lawr iddyn nhw gael siarad â chi?'

'Anna, chi sy 'na?'

'Ie, Miss.'

'Dwedwch wrthyn nhw 'mod i'n brysur ar hyn o bryd Anna; fedra i ddim dod nawr.'

Rhedodd y forwyn fach i lawr i ddweud wrth yr Inspector.

'O'r gore, 'merch i,' meddai hwnnw. Aeth y forwyn ymaith.

'Brysur myn brain i! Beth sy ganddi i'w 'neud dwedwch? Dewch i ni gael mynd lan i gael gair â hi.'

'Ydych chi'n gwbod p'un yw 'i stafell hi?' gofynnodd y Sarjiant.

'Wrth gwrs, Sarjiant. Dŷch chi ddim yn meddwl 'mod i wedi bod yn hollol segur ŷch chi! Rwy'n gwbod ble mae stafell pob un sy yn y Plas ar hyn o bryd.'

Fe wyddai'r Sarjiant yn iawn nad oedd ei bennaeth wedi bod yn segur. Roedd e wedi cymryd drosodd y stafell y safent ynddi, fel rhyw fath o H.Q. tra byddai'r ymholiadau'n mynd ymlaen yn y Plas ac o'i gwmpas. Y funud honno roedd cwnstabl wrthi'n teipio wrth fwrdd mahogani yn ymyl y ffenest. Yn y stafell yma y bwriadai'r Inspector holi pawb yn y Plas, ac roedd e wedi rhoi darn o bapur caled ar y drws tu allan a'r gair *Private* arno.

'Dewch,' meddai'r Inspector, gan roi ei law ar ysgwydd y Sarjiant yn gyfeillgar. Er nad oedden nhw wedi bod yn cydweithio â'i gilydd yn hir iawn, roedd gan y naill a'r llall barch i allu a deall ei gilydd.

'Dyma ddrws stafell Miss Jones,' meddai'r Inspector, ar ôl cyrraedd y landin.

Curodd y Sarjiant y drws.

'Dewch miwn!' meddai llais Marïa. Edrychodd y ddau blisman ar ei gilydd. Doedden nhw ddim wedi disgwyl gwahoddiad i fynd i mewn.

Trodd y Sarjiant fwlyn gloyw'r drws a mynd i mewn. Aeth yr Inspector ar ei ôl.

Yn ystafell Marïa gwelsant olygfa ryfedd iawn. Roedd y stafell—fel y rhan fwyaf o stafelloedd y Plas—yn un eang iawn. Yn erbyn un mur roedd gwely anferth a hwnnw heb ei daenu. Ond yr hyn a dynnodd sylw'r ddau blisman oedd y 'lluniau'! Yma a thraw o gwmpas yr ystafell roedd wyth neu naw o ganfasau gweddol fawr. Nid oedd yn ymddangos fod un o'r darluniau arnynt wedi ei orffen.

'Whiw!' meddai'r Inspector, gan droi at Marïa, a oedd yn sefyll yn ymyl y ffenest â brws paent yn ei llaw a rhyw smoc amdani a honno'n baent i gyd i lawr ei ffrynt.

'Wyddwn i ddim eich bod chi'n artist, Miss Jones,' meddai'r Inspector.

Chwarddodd Marïa. 'O rŷch chi'n rhy garedig, Inspector. Dabler ydw i rwy'n ofni.'

You're telling me! meddai'r Inspector wrtho'i hunan bach.

'Mae peintio'n hobi ardderchog, Miss Jones,' meddai'n uchel.

Aeth ymlaen at y llun roedd hi'n ei beintio pan ddaeth ef a'r Sarjiant i mewn. Edrychodd arno'n syn ac yn fanwl heb ddweud yr un gair. Roedd Marïa'n gwylio'i wyneb.

Gwelodd yr Inspector goed (os coed hefyd, oherwydd roedd y darlun yn un anghelfydd ac aflêr iawn). Ie, coed oeddynt, meddyliodd, coed yn yr hydref. Roedd eu dail yn felyn ac yn goch i gyd—fel fflamau tân. Fel fflamau tân! Edrychodd yn fanylach eto. Oeddent—roedd dail y coed rhyfedd hyn fel tafodau o dân. Ar y coed hefyd roedd adar mawr.

'Beth amdano, Inspector?' gofynnodd Marïa.

Ysgydwodd yr Inspector ei ben a gwenodd. 'Rwy'n ofni nad wyf fi ddim yn feirniad da iawn, Miss Jones. Ond mae e'n lliwgar iawn. Llun o'r hydref yw e mae'n debyg?' Chwarddodd Marïa, ond ni ddywedodd air. Roedd y Sarjiant wedi dod i edrych ar y llun erbyn hynny.

Gwelodd fod y paent gwlyb wedi rhedeg mewn man neu ddau.

'Miss Jones,' meddai'r Inspector, 'gawn ni ofyn i chi adael y peintio am dipyn bach?'

Rhoddodd Marïa ei brws a'i phaent i lawr ac eisteddodd mewn cadair wrth y ffenest.

'Wel?' meddai.

'Y ... dwedwch wrthon ni beth ddigwyddodd neithiwr,' meddai'r Inspector yn dawel.

'Pryd?' meddai Marïa'n uchel.

'Wel ... y ... pryd gwelsoch chi Mr Huws ddiwetha?'

Edrychodd Marïa allan drwy'r ffenest am dipyn cyn ateb.

'Amser cinio,' meddai'n blwmp.

'Faint o'r gloch oedd hi bryd hynny?' gofynnodd yr Inspector.

'Roedd cinio i fod am hanner awr wedi saith, ond fe fuodd Idwal a'i dad yn trafod rhyw bethe ... roedd Henri yn un tyn iawn am yr arian, Inspector.'

'Trafod arian oedd Mr Huws a'i fab?'

'Ie. O dwy ddim yn siŵr, cofiwch, Inspector, dim ond meddwl ...'

'Pam rŷch chi'n meddwl mai siarad am arian yr oedden nhw?'

'Roedd Idwal eisie benthyg mil neu ddwy ...' Stopiodd Marïa ar hanner brawddeg. Edrychodd o un i'r llall fel plentyn wedi ei ddal yn gwneud drwg.

'Gafodd e fenthyg yr arian gan Mr Huws?' Roedd llais yr Inspector yn dawel.

Ysgydwodd Marïa ei phen. 'Dwy ddim yn gwbod, Inspector, wir i chi.' Ni phwysodd yr Inspector arni.

'Rwy'n deall fod cinio wedi cychwyn yn hwyr am fod Mr Huws a'i fab heb gyrraedd?'

'Oedd.'

'Pryd eisteddoch chi i gyd i fwyta?'

'O, dwy ddim yn siŵr . . . tua chwarter i wyth falle.'

'Beth ddigwyddodd wedyn?'

'Dim byd. Pan oedden ni wedi gorffen fe gododd Henri —Mr Huws—yn gynta . . . a mynd mas . . .'

'A dyna'r tro diwetha i chi 'i weld e?'

'Dyna'r tro diwetha i fi 'i weld e'n fyw.'

''I weld e'n *fyw*? Beth ŷch chi'n feddwl, Miss Jones?' Roedd Sarjiant Tomos wedi rhoi ei big i mewn. Cododd gwrid coch dros wyneb Marïa, a throdd unwaith eto i edrych allan drwy'r ffenest.

'Rhaid i chi ateb, Miss Jones,' meddai'r Inspector. 'Dyna'r tro diwetha i chi 'i weld e'n fyw? Beth ŷch chi'n awgrymu? Welsoch chi e'n farw?'

Bu Marïa'n hir cyn troi ei phen oddi wrth y ffenest. Pan wnaeth meddyliodd Sarjiant Tomos fod ofn yn ei llygaid hi.

'Fe weles i chi . . . bore 'ma . . . roeddwn i'n eich gwylio chi drwy'r ffenest . . . fe weles i . . . beth dynnoch chi mas o'r garej . . .'

Edrychodd y ddau blisman yn hir arni. A oedd hi'n dweud y gwir? Neu a oedd hi'n ceisio cuddio'r ffaith iddi ddweud rhywbeth yn ddifeddwl?

'O'r gore, Miss Jones,' meddai'r Inspector, 'fe aeth Mr Huws allan o'r stafell ar ôl gorffen swper . . . y . . . cinio . . . a welsoch chi ddim mohono fe'n fyw ar ôl hynny?'

'Naddo.'

'Faint o'r gloch oedd hi bryd hynny, Miss Jones?' gofynnodd y Sarjiant.

'O, roedd hi bron yn naw o'r gloch siŵr o fod. Roedd hi wedi hanner awr wedi wyth beth bynnag . . . ond roedd hi'n nes i naw.'

'Beth ddigwyddodd wedyn?' gofynnodd yr Inspector.

'Wedyn? Dim byd. Doedd dim hwyl ar neb i aros i siarad . . . Fe gododd Idwal a mynd mas . . .'

'Ar ôl 'i dad?'

'Wel . . . *fe* gododd gynta. Wedyn fe aeth Olwen. Roedd rhywbeth rhyfedd ar Olwen neithiwr, Inspector.'

'O? Yn rhyfedd ddwetsoch chi?'

'Ie. Dyw hi ddim yn arfer siarad llawer, Olwen. Ond neithiwr! Fe ddangosodd hi i'w thad nad oedd hi ddim yn hidio dim amdano fe.'

'Ac fe aeth hi mas ar ôl 'i brawd?'

'Do. Wedyn fe fuodd Cynthia a finne—Cynthia yw gwraig Idwal, Inspector—fe fuodd Cynthia a finne'n siarad tipyn, ac wedyn fe aeth Edith . . .'

'A chi, Miss Jones? Ble aethoch chi? A phryd?' gofynnodd yr Inspector.

'O, fe aeth Cynthia a finne'r un pryd. Arhoson ni ddim yn hir. Fe ddwedodd Cynthia fod pen tost gyda hi . . . ac fe ddois i lan fan hyn.'

'A fuoch chi ddim mas o'r ystafell 'ma o gwbwl yn ystod y nos neithiwr?' meddai Sarjiant Tomos.

Bu tawelwch eto am foment. Edrychodd Marïa i lawr ar ei smoc, oedd yn baent i gyd. 'Naddo!' meddai'n uchel.

Edrychodd y ddau blisman ar ei gilydd.

'Un cwestiwn arall, Miss Jones,' meddai'r Inspector.

'Y . . . mae rhaid i fi fynd ymla'n â'r llun 'ma nawr, Inspector, neu fe fydd y paent wedi sychu gormod. Mae Millicent wedi dangos i fi . . .'

'Pwy yw Millicent?' gofynnodd y Sarjiant.

'Millicent Lewis, y "Lodge", gwraig Cyrnol Lewis oedd yn arfer byw 'ma. Mae hi'n ffrind i fi. A nawr os esgusodwch chi fi . . .'

'Cyn i ni'ch gadael chi'n llonydd, Miss Jones, rhaid i fi ofyn i chi a ydych chi wedi gweld Miss Olwen Huws ar ôl iddi fynd allan o'r ystafell ginio neithiwr?' Roedd yr Inspector wedi codi ei lais. Unwaith eto bu Marïa'n hir yn ateb. Cydiodd yn y brws paent oddi ar y bwrdd a throi ei phen i wynebu'r darlun lliwgar oedd ar ei hanner ganddi.

'Wel?' meddai'r Inspector yn siarp ac yn awdurdodol.

'Naddo,' meddai Marïa, ond edrychai fel pe bai ei meddwl ar y llun o'i blaen.

'Miss Jones,' meddai'r Inspector yn fwy tawel a difrifol yn awr, 'rwy'n gobeithio eich bod chi yn dweud y gwir i gyd wrthon ni. Mae'n drosedd, cofiwch, i gadw gwybodaeth oddi wrth y Polîs . . .'

Ond nid oedd Marïa'n gwrando arno. Roedd hi wedi ailddechrau peintio'n brysur.

Yna fe driodd Sarjiant Tomos 'i law.

'Glywsoch chi ryw sŵn dierth o gwbwl yn ystod y nos, Miss Jones?'

Dechreuodd Marïa hymian rhyw diwn.

'Dewch Sarjiant Tomos!' Camodd yr Inspector yn ddiamynedd am y drws ac aeth allan, heb aros i weld a oedd y Sarjiant yn ei ddilyn ai peidio.

9

'Mr Idwal Huws! Dewch mewn. Eisteddwch fan hyn.'

'Rwy'n fodlon ateb unrhyw gwestiwn, Inspector. Does gen i ddim byd i'w guddio.'

Nagoes e wir! meddai'r Inspector wrtho'i hunan. Rwyt ti'n edrych yn bur anghysurus beth bynnag. Yn uchel dywedodd, 'Ie, wel . . . y . . . dim ond rhai cwestiynau *routine* ŷch chi'n deall, Mr Huws. Yn gynta, ble'r aethoch chi ar ôl gadel y stafell ginio? Rwy'n deall mai chi oedd y cynta i adel neithiwr ar ôl eich tad.'

'Ie fi oedd y cynta, Inspector.'

'Wel, ble'r aethoch chi?'

Am foment gwingodd Idwal Huws yn ei gadair.

'Dewch nawr, Mr Huws,' meddai'r Inspector, 'mae'n llawer gwell mewn achosion fel hyn i ddweud y cyfan, a dweud y gwir . . .'

'Fe es i edrych am Nhad.'

Cododd yr Inspector ei aeliau. 'Ie?'

'Roedden ni'n dau . . . Nhad a finne . . . wedi cael tipyn o ddadl cyn cinio . . . roedd . . .' Stopiodd ac edrychodd ar Sarjiant Tomos, oedd yn eistedd yn llonydd yn ymyl ei bennaeth.

'Roeddech chi wedi ceisio benthyca arian gan eich tad, ac roedd e wedi gwrthod,' meddai'r Inspector.

Tro Idwal oedd hi yn awr i ddangos syndod.

'Ond sut yn y byd? Doeddwn i ddim wedi dweud wrth neb . . . Pwy . . . ?'

'Na hidiwch nawr, Mr Huws,' meddai'r Inspector yn amyneddgar. 'Fe aethoch chi allan ar ôl eich tad . . . Pam?'

'Rown i am geisio gwneud un ymgais arall i gael gydag e newid 'i feddwl ynglŷn â rhoi benthyg yr arian. Roedd popeth yn dibynnu ar gael benthyg dwy fil o leiaf . . .'

Stopiodd yn sydyn, ac edrychodd i fyw llygad yr Inspector.

Roedd hwnnw'n edrych yn oeraidd arno. Mae hwn yn ceisio'i grogi 'i hunan, gwlei, meddyliodd Sarjiant Tomos.

'Fe aethoch chi allan i geisio cael gan eich tad newid 'i feddwl?'

'Do, ond . . .'

'Ble roedd eich tad pan aethoch chi allan?'

'Pan es i allan roedd hi'n olau leuad fel dydd. Ond doedd e ddim yn y golwg yn unman. Wedyn fe glywes sŵn traed yn mynd i fyny'r lôn tuag at y Parc. Fe es i ar ôl y sŵn.'

'Ie, Mr Huws, beth wedyn?'

'Mae'n rhaid 'i fod e wedi clywed sŵn 'y nhra'd i, oherwydd pan edryches i wedyn roedd e'n sefyll ar ganol y lôn fel pe bai e'n ceisio gweld pwy oedd yn 'i ddilyn e.'

Bu distawrwydd yn yr ystafell am dipyn.

'Ewch ymla'n, Mr Huws,' meddai'r Inspector. 'Pan ddaethoch chi at eich tad . . .'

' "O ti sy 'ma iefe?" medde fe. "Rown i'n meddwl 'mod i wedi dweud yn ddigon plaen cyn swper . . ."

' "Nhad," medde finne, "at bwy galla i fynd ond atoch chi? Does gen i neb arall i droi ato. Fydd neb arall yn barod i roi . . ." "At bwy yr awn ond atat ti," medde fe, braidd yn wawdlyd. Roedd y golau leuad ar 'i wyneb e ac rown i'n gallu gweld nad oedd e ddim yn debyg o newid ei feddwl. "Idwal," mynte fe wedyn, "dwyt ti byth yn poeni dod i 'ngweld i ond pan fydd eisie rhywbeth arnat ti. Wyt ti wedi meddwl erioed fod arna *i* eisie dy help *di*?" Ie, dyna ddwedodd e, ac mae'n rhaid i fi ddweud—down i ddim yn deall beth oedd e'n feddwl am foment. "Pe byddet ti wedi dod *unwaith—unwaith*, Idwal," mynte fe ddwywaith . . . "i roi tro am dy dad pan *nad* oedd eisie rhywbeth arnat ti, rwy'n meddwl y byddwn i'n barod i dy helpu di nawr. Ond dwyt ti erioed wedi gwneud wyt ti?" medde fe, gan edrych yn ffyrnig arna i. "Ddim un blydi gwaith," medde fe gan godi 'i lais. "Bob tro mae'r ffôn yn mynd—bob tro bydd llythyr yn dod i ddweud dy fod ti'n dod lawr . . . rwy i, a phawb arall, yn gwbod fod eisie rhywbeth arnat ti—arian fynycha! Dim ond *derbyn* o hyd wyt ti wedi 'neud—dwyt ti erioed wedi *rhoi* dim, Idwal," mynte fe. "Ond doedd gen i ddim byd i'w roi," mynte fi. Fe edrychodd arna i wedyn yn od reit, heb ddweud dim un gair. Wedyn dyma fe'n troi a cherdded lan ar hyd y lôn am y Parc. Fe geisies i gael gydag e i aros, ond chymrodd e ddim un sylw. A dyna'r tro diwetha i fi 'i weld e, Inspector.'

Pesychodd Sarjiant Tomos besychiad sych, a throdd yr Inspector ato. 'Oes gynnoch chi gwestiwn i'w ofyn i Mr Huws, Sarjiant?'

'Oes, syr,' meddai hwnnw. Trodd at Idwal. 'Mr Huws . . . ar ôl i'ch tad fynd i fyny'r lôn . . . beth wnaethoch chi?'

'Wel . . .'

Edrychodd y ddau blisman ar ei gilydd.

'Aethoch chi 'nôl i'r Plas?' gofynnodd y Sarjiant.

'Y . . . naddo . . . ddim am dipyn . . .'

'O? Pam Mr Huws?' gofynnodd yr Inspector.

'Wel . . . o . . . roeddwn i'n *fed-up*, Inspector. Down i ddim yn teimlo fel wynebu Cynthia a'r lleill ar ôl methu cael benthyg gan Nhad . . . fe fydden nhw'n gofyn cwestiyne a . . .'

'Ble'r aethoch chi, Mr Huws?' Roedd llais yr Inspector yn ddiamynedd.

'Wel, fe fues i'n cerdded o gwmpas . . .' Roedd e'n swnio'n gloff.

'O gwmpas ble, Mr Huws? Fe fydd rhaid i ni gael gwell ateb na hynna,' meddai Sarjiant Tomos.

'Dyna'r gwir,' meddai Idwal, gan ddechrau colli ei dymer. 'Fedra i ddim bod yn fwy manwl na hynna. Mae sawl lôn o gwmpas y Plas ac fe fues i'n cerdded y rheini.'

'I'r un cyfeiriad â'ch tad?'

'Nage, wir i chi, Inspector, i gyfeiriad arall yn hollol.'

'Am faint o amser y buoch chi'n cerdded?'

'Wn i ddim—am amser hir, Inspector. Roedd hi'n hanner awr wedi deg pan es i mewn i'r Plas ac i fyny i'r llofft i'r gwely.'

'Welodd rhywun chi'n cerdded o gwmpas, Mr Huws?' gofynnodd y Sarjiant.

''Y ngweld i? Na, dwy ddim yn meddwl . . .'

'Dŷch chi ddim yn swnio'n rhy siŵr,' meddai'r Sarjiant wedyn.

'Wel . . . y . . . fe ddigwyddodd rhywbeth . . . pan own i'n dod 'nôl at y Plas . . . yn barod i fynd i'r gwely. Cofiwch, falle nad oedd e'n ddim byd . . .'

'Dwedwch wrthon ni, Mr Huws!' meddai'r Sarjiant.

'Wel, pan own i'n dod heibio i dalcen y Plas tuag at ddrws y bac . . . fe weles i . . . neu fe feddylies i 'mod i wedi gweld . . . rhywun yn diflannu heibio i dalcen y garej . . . dim ond cysgod weles i. Falle mai dyn oedd e, neu gi mawr . . . neu falle—dim ond cysgod. Ŷch chi'n gwbod fel mae golau leuad yn gallu'ch twyllo chi.'

'Aethoch chi ddim ar 'i ôl e, i fod yn siŵr beth oedd 'na?' gofynnodd yr Inspector.

'Naddo fi. Fe agores i'r drws a mewn â fi i'r Plas.'

'Ac i'r gwely?'

'Ie, Inspector. Weles i neb ar lawr pan ddes i mewn, ac rown i'n gwbod 'u bod nhw'n arfer mynd i'r gwely'n gynnar ym Mhlas y Gwernos . . . roedd Nhad a Mam wedi arfer pan oedden nhw mewn busnes, a doedden nhw erioed wedi newid.'

'Felly fe aethoch chi lan i'r llofft? Oedd eich gwraig yn y gwely o'ch bla'n chi, Mr Huws?' gofynnodd y Sarjiant. Unwaith eto syrthiodd munud o ddistawrwydd llethol dros yr ystafell.

'Wel? Oedd hi, neu nagoedd hi, Mr Huws?' gofynnodd yr Inspector yn eiddgar.

'Nagoedd.'

'Wel, wel! Ble'r oedd hi 'te?' gofynnodd wedyn.

'Roedd hi wedi 'ngweld i'n hir yn dod 'nôl, ac roedd hi wedi mynd mas i edrych amdana i. Fe ddaeth hi mewn yn fuan iawn . . . cyn i fi gael amser i fynd lawr i edrych ble'r oedd hi.'

'Ydi hi'n bosib mai hi welsoch chi yn mynd heibio i dalcen y garej?' gofynnodd y Sarjiant.

Ysgydwodd Idwal Huws ei ben.

'Nage, Sarjiant.'

'Ond sut gallwch chi fod mor siŵr?'

'Wn i ddim. Ond fe ges i'r syniad mai *dyn* weles i'n diflannu heibio i dalcen y garej.'

70

'Ond fe ddwetsoch chi y galle fe fod yn gi neu'n ddim ond cysgod . . .'

'Rwy'n gwbod, Sarjiant. Ond mae'r syniad mai dyn oedd e gyda fi oddi ar neithiwr. Erbyn hyn rwy'n teimlo bron yn siŵr mai dyn oedd 'na.'

'Wel,' meddai'r Inspector, 'ar ôl i'ch gwraig ddod mewn, fe aethoch chi i'r gwely?'

'Do, ond . . .'

'Ond beth?' meddai'r Inspector.

'Fe fethes i'n lân â chysgu. Rwy'n meddwl i Cynthia fynd i gysgu'n fuan iawn . . . ond rown i'n meddwl . . . am . . . wel am y Clwb ac am yr hyn oedd yn mynd i ddigwydd . . . ac am lawer o bethe.'

Yna clywodd y tri gloch y ffôn yn canu mewn rhan arall o'r Plas. Cododd yr Inspector ei ben fel ci'n ffroeni'r awyr.

'O'r gore, Mr Huws, dyna'r cyfan am y tro. Wrth gwrs, fe fyddwn ni am sgwrs arall â chi—ac â'ch gwraig.'

''Y ngwraig? Ond all Cynthia wneud dim i'ch helpu . . .'

'Fe fyddwn ni'n holi pawb, Mr Huws, pawb! A nawr os esgusodwch chi ni . . .'

Cododd ar ei draed a gwnaeth y Sarjiant yr un peth. Aeth y tri allan gyda'i gilydd. Pan ddaethant i neuadd fawr y Plas gwelsant Edith Huws yn ei chadair olwyn â'r ffôn yn ei llaw. Roedd hi'n siarad Saesneg â rhywun y pen arall. Roedd yr Inspector yn glustiau i gyd oherwydd roedd ganddo ef yn awr ddiddordeb mawr mewn unrhyw neges a ddeuai trwodd i'r Plas ar y ffôn.

Nid oedd Edith yn ceisio siarad yn ddistaw a chlywai'r tri bob gair a ddywedai.

'Oh! I'm so glad she's all right, Mrs Wilcox,' meddai— yna distawrwydd tra oedd hi'n gwrando ar y llais y pen arall i'r ffôn.

'No! No! She must come home at once, Mrs Wilcox. You must bring her by train tonight. Your fare and expenses will be paid . . . y . . . Mrs Wilcox? Are you there? Oh! Are you sure she is alone—There's no one with her?'

Distawrwydd wedyn, a'r tri arall yn gwrando'n ddi-gywilydd ar y sgwrs. Yna trodd Mrs Huws ei phen a'u gweld. Rhoddodd ei llaw dros geg y ffôn.

'Mae Olwen yn saff, Inspector,' meddai. 'Mae hi yn Llundain yng nghartre Mrs Wilcox oedd yn nyrs iddi pan o'dd hi'n ferch fach. Mae hi wrthi 'i hunan, Inspector, does neb gyda hi.' Yna trodd i siarad i'r ffôn eto.

'Mrs Wilcox, you'll bring her? Good! I can't understand why she doesn't come to the phone herself to speak to her mother. No, leave her alone if she doesn't want to. Give her my love and tell her everything will be all right . . . we'll be waiting up for you. The train gets into Cardigan about twelve-thirty tonight. We will have a car at the station waiting for you. Goodbye.'

Gosododd y ffôn yn ôl a llywiodd ei chadair olwyn tuag at y tri a safai ar ganol yr ystafell. Roedd ei llygaid yn loyw.

'Mae Olwen yn iawn, Idwal. A dyw Simpson ddim gyda hi.' Swniai fel pe bai wedi cael rhyddhad mawr o wybod i Olwen gyrraedd cartref ei hen nyrs—heb y *chauffeur.*

'Rydyn ni i gyd yn falch ei bod hi'n saff, Mrs Huws,' meddai'r Inspector, 'yn falch iawn—er eich mwyn chi.'

Edrychodd gwraig y Plas i fyw ei lygad.

'Diolch, Inspector. Fe fydd hi'n cyrraedd yn hwyr heno.'

*   *   *

72

'Ond Sarjiant, dyw'r *chauffeur* ddim ar goll. Mae wedi cael sac o'r Plas ac mae e wedi mynd o 'ma. Wyddon ni ddim i ble.'

Roedd y ddau blisman yn ôl yn eu H.Q. unwaith eto.

'Ond fe fydd rhaid i ni ddod o hyd iddo, Inspector,' atebodd y Sarjiant yn styfnig, 'felly mae e ar goll.'

'Dwy ddim yn cytuno, Sarjiant Tomos. Os gallwn ni solfo'r achos 'ma hebddo fe, yna fydd dim rhaid i ni boeni yn 'i gylch e.'

'Ond fe yw un o'n prif *suspects* ni, Inspector.'

'Gwir, Sarjiant Tomos, gwir, ond wn i ddim pam chwaith, wedi meddwl. Does neb wedi'i weld e o gwmpas y Plas 'ma neithiwr oes e?'

'Na, ond . . .'

'Ba! Rydyn ni'n gwastraffu amser yn clebran fan hyn, Sarjiant. Mae'n rhaid i ni fynd ymla'n â'n hymholiade, ddyn!'

'Pwy nesa, Inspector?'

'Cyrnol Lewis a'i wraig.'

'Cyrnol Lewis? Ond Inspector . . . ?'

'O, fe wn i'n iawn nad ydyn ni ddim eto wedi holi pobol y Plas i gyd. Ond wyddech chi, Sarjiant, mae gen i syniad na chawn ni ddim o'r gwirionedd yn y Plas. Mae rhyw deimlad gen i fod y rhain yn barod i ddweud celwydde fel ci'n trotian i'n rhwystro ni rhag dod o hyd i'r gwirionedd. Gadewch i ni, er mwyn dyn, siarad â rhywrai tu allan i'r Plas 'ma.'

Edrychodd y Sarjiant ar ei bennaeth gydag edmygedd. Roedd e'n iawn, wrth gwrs.

*   *   *

73

Pan oedden nhw'n cerdded i fyny'r llwybr at ddrws ffrynt y 'Lodge', sylwodd llygaid craff y Sarjiant ar gornelyn bach o gyrten y ffenest yn cael ei godi'n llechwraidd. Er nad oedd y cyrten wedi symud ond modfedd neu ddwy, yr oedd yn ddigon i'r Sarjiant ddweud wrth ei bennaeth, 'Maen nhw'n disgwyl amdanon ni, Inspector.'

'Ŷch chi'n meddwl?' meddai hwnnw.

Yna roedden nhw wedi cyrraedd y drws. Cyn ei guro arhosodd y ddau am funud ar y trothwy yn edrych o'u cwmpas. Roedd y paent ar y drws wedi cracio a phothellu dan effaith blynyddoedd o haul, glaw a gwynt, a'r plastryn ar y muriau wedi syrthio mewn mannau. Edrychai'r 'Lodge' yn hen le aflêr a di-raen iawn.

Curodd yr Inspector y drws. Agorodd ar unwaith fel pe bai rhywun wedi bod yn disgwyl o'r tu mewn. Gwelsant hen ddyn â mwstàs gwyn ac wyneb coch, rhychiog yn sefyll o'u blaen. Safai mor syth â ffon.

'Cyrnol Lewis?' gofynnodd yr Inspector.

'*Yes, that's right*,' oedd yr ateb.

Roedd yn well gan yr Inspector y Gymraeg a rhoddodd gynnig arall arni.

'Mae'n ddrwg gynnon ni eich poeni chi, syr, ond . . . y . . . mae'n debyg eich bod chi wedi clywed am yr hyn sy wedi digwydd yn y Plas . . . '

Am foment hir bu llygaid llwydion, oeraidd y Cyrnol yn edrych trwy'r Inspector. Yna dywedodd, 'Dyw'r hyn sy'n digwydd yn y Plas ddim yn busnes i ni, Inspector.' Sylwodd y ddau blisman ar ei lediaith àc ar ei agwedd ffroenuchel tuag atynt. Gwyddent ei fod ar fin cau'r drws yn eu hwynebau.

'Cyrnol,' meddai'r Inspector, 'mae 'na dân wedi digwydd yn y Plas neithiwr, ac rydyn ni wedi gneud darganfyddiade eraill sy'n 'i gwneud hi'n gwbwl angenrheidiol i ni holi pawb sy'n byw yng nghyffinie'r Plas, a chan eich bod chi mor agos . . . y . . . fe fydde'n dda gen i pe baech chi'n bodloni i ateb rhai cwestiyne, syr.'

'Fi wedi torri cysylltiad â'r Plas ers sawl blwyddyn nawr, Inspector. Gwaetha'r modd mae *circumstances* fi . . . roeddwn i'n arfer byw yn y Plas, syr.'

Gwelodd y ddau fod y Cyrnol dan deimlad dwys. Aeth ymlaen wedyn.

'*Five hundred years* mae teulu fi wedi bod yn Plas Gwernos, Inspector, a nawr—dyn llaeth—mab i hen *gardener* fi wedi prynu fe. Dydd da *gentlemen*, does dim byd gyda fi i ddweud wrthoch chi.'

Gwnaeth ystum i gau'r drws.

'Syr,' meddai'r Inspector, 'os nad ydych chi'n fodlon ateb ein cwestiyne ni fan yma, rwy'n ofni y bydd rhaid i ni ofyn i chi ddod lawr i'r Stesion gyda ni.'

Gwgodd yr hen Gyrnol arno.

'Fi'n cyfaill personol i'r *High Sheriff*, Inspector,' meddai.

Edrychodd yr Inspector yn drist arno. Roedd y dyn yma'n byw yn y gorffennol pell, meddyliodd, yn yr hen ddyddiau pan allai gŵr bonheddig fynd at yr Uchel Sirydd, os oedd yn ei nabod yn dda, a chael ganddo'r hawl i herio'r Gyfraith yn aml.

'Os carech chi ddweud wrth eich gwraig, syr, ble'r ŷch chi'n mynd, neu os ŷch chi am gael cot fawr neu rywbeth . . .' meddai'n uchel ac yn awdurdodol. Am foment edrychodd y ddau ar ei gilydd. Y Cyrnol oedd y cyntaf i edrych draw.

'Fi dim mofyn mynd lawr i Stesion, Inspector. Gwell i chi dod mewn.'

Arweiniodd hwy i stafell lle'r oedd aroglau anhyfryd. Gwyddai'r ddau blisman ar unwaith mai aroglau cŵn oeddynt. Yna gwelsant ddynes, anniben ei gwallt a'i gwisg, yn eistedd yn ymyl y ffenest. O'i chwmpas gorweddai pedwar ci—dau gorgi, un sbaniel hirglust ac un bytheiad, neu gi hela cadno.

'*Millicent, dear, the Police have come to ask some questions about what happened last night up at the mansion,*' meddai'r Cyrnol.

Cododd y ddynes aflêr ar ei thraed a daeth ar draws yr ystafell tuag atynt â'i llaw allan o'i blaen.

'*Ah, Inspector! How good of you to call. We get few visitors these days. Hadn't you better take them into the parlour, dear? I'll join you later if you need me.*' Agorodd ddrws ar y chwith. '*Will you come through here, gentlemen?*'

Safodd o'r neilltu tra oedd y ddau blisman yn mynd trwodd i'r parlwr ar ôl y Cyrnol. Yna caeodd y drws arnynt. Ond nid aeth yn ôl i eistedd yn ei chadair. Yn lle hynny plygodd ei phen a rhoi ei chlust yn dynn wrth dwll y clo.

Yr oedd muriau'r parlwr yn lliwgar gan luniau, rhai wedi eu fframio a rhai heb. Edrychodd y Sarjiant yn fanwl ar y lluniau. Yr oeddynt yn amrywiol iawn, llun ceffylau mewn cae, llun traeth a chreigiau, llun tref brysur, ar ddiwrnod mart gellid meddwl, a'r anifeiliaid a'r bobl yn gymysg i gyd. Edrychodd yn hir ar hwn. Roedd rhywbeth yn y llun oedd yn ei gyffroi.

Yna dechreuodd yr Inspector holi'r Cyrnol.

'Ble'r oeddech chi neithiwr rhwng naw o'r gloch a hanner nos?'

'Fi?' atebodd y Cyrnol, fel pe bai'n synnu fod yr Inspector wedi gofyn y fath gwestiwn. 'Yn y gwely, syr.'

Cododd yr Inspector ei aeliau. 'Am naw o'r gloch, Cyrnol?'

'Wel, na, dim cweit. Am . . . y . . . hanner awr wedi deg es i i'r gwely.'

Ond nawr ddwedodd e 'i fod e yn y gwely am naw, meddyliodd y Sarjiant, ond ni ddywedodd air.

'O'r gore,' meddai'r Inspector, 'ble'r oeddech chi rhwng naw a hanner awr wedi deg?' Bu distawrwydd llethol yn yr ystafell am dipyn.

'Wel?' meddai'r Inspector.

'Wel . . . y . . . bydda i'n mynd â cŵn am tro bob nos . . . *exercise* chi'n gweld . . . cyn mynd i'r gwely.'

'Ac roeddech chi allan neithiwr, Cyrnol, rhwng naw a hanner awr wedi deg?'

'Ie . . . y . . . rhwng naw a deg rown i allan â cŵn.'

'I ble'r aethoch chi am dro neithiwr, Cyrnol, os gwelwch chi'n dda?' Distawrwydd eto. Gwyliai'r ddau blisman wyneb gwridog, garw'r gŵr bonheddig.

'Beth?' gofynnodd, gan edrych o un i'r llall.

'Ble'r aethoch chi am dro â'r cŵn, Cyrnol?' meddai'r Inspector yn amyneddgar.

'O *round-about*, Inspector, *round-about*.'

'Rwy'n ofni y bydd rhaid i ni ofyn i chi fod yn fwy pendant na hynny, syr.'

'Beth ŷch chi am i fi dweud, Inspector? O gwmpas y lle

'ma! Ydych chi am i fi fynd i dangos pob twll a cornel bues i ynddo fe neithiwr?'

'Falle bydde hynny'n beth da, syr,' meddai'r Inspector. 'Aethoch chi lawr i'r ffordd fawr?'

'Naddo. Dwy dim yn mynd â cŵn i'r ffordd fawr,' meddai'r Cyrnol.

'Ble felly 'te? Ble arall sydd?'

'Draw am yr hen "Deer Park", Inspector, os oes rhaid i chi gael gwbod.'

'Ond mae'r Parc yn rhan o dir y Plas.'

'Wrth gwrs, Inspector.'

'Y . . . oeddech chi ddim yn tresmasu felly?'

'Mae'r "Deer Park", Inspector, wedi bod yn eiddo i teulu ni am . . .'

'Fe wn i, Cyrnol, am bum can mlynedd. Ond eto i gyd, mae e nawr yn eiddo i rywun arall . . . i Mr Huws. Oedd e'n fodlon eich bod yn mynd â'r cŵn draw ffor'na?'

'Nagoedd. Ond roeddwn i'n mynd serch hynny . . . yn y nos cyn mynd i'r gwely . . . mae twll yn y wal . . . ac os ewch chi trwy'r twll rŷch yn y "Deer Park", ac mae digon o goed yn tyfu . . . gall neb gweld chi wedyn. Yn y "Deer Park" bues i'n hela a chware pan own i'n fachgen bach, Inspector. Galla i dim byw heb fynd am dro bach ffor'na weithie.' Am foment teimlodd y ddau blisman dipyn o dristwch yr hen ŵr bonheddig oedd wedi colli ei gartref a'i stad.

'Welsoch chi rywun, neu welodd rhywun chi neithiwr, syr?' gofynnodd y Sarjiant, gan siarad am y tro cyntaf ar ôl cyrraedd y 'Lodge'.

'Na!' Roedd y Cyrnol wedi codi ar ei draed wrth

ddweud yr un gair yma, ac yn awr edrychai'n ffyrnig o un i'r llall.

Ni ddywedodd y ddau blisman ddim un gair am ysbaid hir. Gwyddai'r ddau fod yr hen Gyrnol wedi cyrraedd pen draw ei amynedd gyda hwy am y tro, a gwyddent na fyddai'n debyg o ateb rhagor o gwestiynau. Ond nid oedd yr Inspector wedi gorffen yn llwyr eto chwaith. Cododd ar ei draed a gofynnodd, 'Wyddech chi, Cyrnol, ein bod ni wedi dod o hyd i gorff Mr Henri Teifi Huws wedi hanner llosgi, yn y lludw ar lawr y garej?'

Unwaith eto roedd llygaid llwydion, oeraidd yr hen ŵr bonheddig yn edrych trwyddo.

'Wel, Inspector,' meddai ymhen tipyn, 'mae'n ddrwg gen i clywed; ond doedd gen i ddim golwg ar y dyn—dyn llaeth oedd e o hyd er 'i fod e'n byw yn y Gwernos—a dyn cas . . .' Stopiodd yn sydyn pan glywodd y tri lais uchel cyfarwydd yn y stafell arall. Roedd y llais yn adnabyddus i'r tri—llais amhersain Marïa Jones.

'Ba!' meddai'r Cyrnol â gwg ffyrnig ar ei wyneb, 'yr hen dynes 'na 'to!'

'Miss Marïa?' meddai'r Inspector.

'Mae hi digon o farn. Mae'n dod i poeni Millicent byth a hefyd!' Roedd hi'n amlwg nad oedd gan y Cyrnol ddim golwg o gwbwl ar Marïa. Yn awr cerddodd at y drws.

'Ydych chi'n siŵr, Cyrnol Lewis, eich bod chi wedi dweud y cyfan wrthon ni?'

Yn lle ateb agorodd y Cyrnol y drws. Roedd e'n dangos yn amlwg ei fod am gael gwared ohonynt. Aeth y ddau blisman ar ei ôl i'r stafell arall. Roedd Millicent Lewis wrthi'n peintio a Marïa'n sefyll yn ei hymyl yn ei gwylio.

'Gyda llaw, Cyrnol,' gofynnodd y Sarjiant, 'ydych chi'n cadw gynnau yn y tŷ 'ma?' Yr hen ddistawrwydd anesmwyth eto. Yna—

'Wel, wrth gwrs, Sarjiant.' Cerddodd yr hen ŵr bonheddig at gwpwrdd derw yn yr ystafell ac agorodd y drws.

'Fel y gwelwch chi mae yma bedwar dryll . . . rwy'n hoff iawn o saethu . . .' Stopiodd, yna aeth ymlaen eto, 'Neu yr oeddwn i slawer dydd.'

Yna torrodd llais sbeitlyd Marïa ar draws y siarad.

'Pam na ddangoswch chi'r un sy gyda chi'n saethu'n ddistaw yn y Parc yn y nos? Hwnnw oedd yn arfer bod tu ôl i'r lle tân fan hyn.'

Yn y distawrwydd clywodd pawb sŵn y brws paent yn cwympo o law Millicent i'r llawr. Teimlodd Sarjiant Tomos ei galon yn cyflymu. Edrychodd ar ei bennaeth a gwelodd hanner gwên fach yn lledu dros ei wyneb golygus. Edrychai'r Cyrnol ar Marïa â'r fath olwg filain arno fel na allai'r Sarjiant lai na theimlo peth piti dros y ddynes.

'Dyw hwnnw ddim gen i nawr,' meddai'r Cyrnol o'r diwedd. Roedd ei wyneb gwridog wedi gwelwi.

'Nac ydi, Cyrnol Lewis,' meddai'r Inspector, 'mae e yn ein dwylo ni. Fe ddaethon ni o hyd iddo fe yn y garej, yn ymyl corff Henri Teifi Huws. Rhaid i fi ofyn i chi, syr, ddod gyda ni nawr—i'r Plas i wneud *statement* llawn, a rhaid i fi eich rhybuddio chi y gall unrhyw beth a ddwedwch chi o hyn ymla'n gael 'i gofnodi a'i ddefnyddio fel tystiolaeth yn eich erbyn chi.'

Closiodd Sarjiant Tomos at yr hen ŵr bonheddig.

'Dewch, syr,' meddai'n dawel, gan gydio yn ei fraich. Aeth y Cyrnol gydag ef yn dawel, ond pan oedd e wedi cyrraedd y drws trodd ei ben a gweiddi, '*Millicent! I won't have that woman in this house ever again! Kick her out!*'

Sylwodd yr Inspector fod hanner-gwên fach ddiniwed ar wyneb Marïa. Beth yn y byd oedd i'w wneud â'r ddynes ryfedd yma? gofynnodd iddo'i hun.

10

I lawr yn y stafell yn y Plas a alwai'r Inspector yn H.Q. fe gafwyd gan y Cyrnol Lewis, ar ôl llawer o holi manwl a dadlau, ei fersiwn ef o'r hyn oedd wedi digwydd y noson cynt. Ar un olwg roedd hi'n stori drist iawn, ar y llaw arall roedd hi'n stori a allai ei landio mewn Llys Barn ar gyhuddiad o lofruddio Henri Teifi Huws.

Cyfaddefodd mai ef oedd perchen y reiffl oedd wedi ei ddarganfod ymysg y rwbel yn y garej. Roedd e wedi bod yn ei feddiant dros nifer o flynyddoedd. Dywedodd iddo ei brynu, a'r distewydd, ar gyfer hela a saethu ceirw yn yr Alban. Roedd e wedi darganfod y gallai gael ail ergyd at y carw yn aml trwy ddefnyddio'r distewydd. O saethu hebddo byddai'r carw'n clywed sŵn yr ergyd cyntaf, yn gwylltio ac yn diflannu.

Pan werthwyd y Plas a phan fu raid iddo yntau fynd i fyw i'r 'Lodge', yr hyn a achosai fwyaf o boen iddo oedd y ffaith na allai bellach gael mynd i hela tiroedd a choedydd y stad fel yn y dyddiau cynt. Ac roedd e wedi dechrau mynd gyda'r nos, neu ar ambell nos olau leuad, a'i reiffl gydag ef, i botsian ar y tir y bu ef unwaith yn berchen arno, ond a oedd yn awr yn eiddo i Henri Teifi Huws.

Roedd hyn wedi bod yn digwydd ers sawl blwyddyn bellach, ac roedd Marïa'n gwybod yn iawn am y peth.

A'r noson gynt roedd e wedi mynd fel arfer, a'r sbaniel gydag ef, trwy'r twll yn y wal i mewn i'r Parc. Roedd e ar drywydd ffesant, meddai ef. Â'r dail wedi cwympo o'r coed, roedd hi'n hawdd eu gweld yn clwydo rhwng y brigau noethion, ar noson olau leuad. Ac yn ddifeddwl, roedd e wedi crwydro'n nes at y Plas nag arfer; a phan oedd e'n ceisio sbio rhwng brigau hen dderwen fawr, roedd Henri Teifi Huws wedi camu allan o'r tu ôl i'r boncyff a chydio yn ei ysgwyddau a'i ysgwyd.

'Beth yw'r gêm, Cyrnol?' gwaeddodd. 'Tresmasu ar fy nhir i iefe?' Yna roedd e wedi tynnu'r reiffl o'i afael a chydio yn y baril fe pe bai'n mynd i'w daro â'r gwn.

'Fe gadwa i hwn, Cyrnol,' meddai wedyn, 'i 'neud yn siŵr na fyddwch chi ddim yn dod ffor' 'ma 'to—i botsian. Nawr bant â chi cyn y bydda i'n 'i ddefnyddio fe fel pastwn ar eich gwar chi!'

Ac yn ôl y Cyrnol, roedd e wedi mynd nerth ei draed yn ôl am y 'Lodge', mewn dychryn bob munud y byddai Henri Teifi yn ymosod arno o'r tu ôl.

Pan ddaeth yr hen ŵr bonheddig i ben â'i stori, edrychodd yr Inspector yn syn arno.

'Ai dyma'r cyfan sy gyda chi i' ddweud wrthon ni, Cyrnol?' gofynnodd.

'Ie. Beth arall . . . ?'

Gwenodd yr Inspector.

'O dewch nawr, syr, dŷch chi ddim wedi gorffen y stori . . . beth ddigwyddodd wedyn?'

'Dim byd wedyn.'

'O naddo-fe wir! Ga' i orffen yr hanes drostoch chi,

Cyrnol? Ar ôl i Mr Huws fynd â'ch gadel chi, a'r reiffl gydag e, roeddech chi'n teimlo'n ffyrnig iawn . . . oeddech chi ddim?'

'Oeddwn yn naturiol . . .'

'Oeddech, wrth gwrs. Roedd mab y garddwr—y dyn llaeth—wedi mentro'ch erlid chi o dir y Plas oedd yn arfer bod yn eiddo i chi . . . ac roedd e wedi dwyn eich reiffl chi. Ar ôl iddo fynd fe fuoch chi'n petruso am dipyn, yna fe aethoch yn ddistaw bach ar 'i ôl e i gyfeiriad y Plas. Roeddech chi'n benderfynol o gael eich reiffl yn ôl, ac roeddech chi'n awyddus i ddial ar Mr Huws. Fe ddilyn-soch chi Mr Huws wrth olau'r lleuad. Fe welsoch chi e'n mynd i mewn i'r garej, ac fe aethoch chi ar 'i ôl e. Yn y garej fe aeth hi'n ffrae rhyngoch chi, a rywfodd neu'i gilydd fe gawsoch chi afael yn y reiffl, ac yn fwriadol neu yn ddamweiniol, fe saethoch chi e. Wedyn fe osodoch chi'r garej ar dân er mwyn ceisio cuddio'r weithred yr oeddech chi newydd ei chyflawni. Ac fe adawsoch chi'r reiffl ar ôl . . . Pam y gwnaethoch chi hynny, Cyrnol Lewis? Ai 'i anghofio fe wnaethoch chi? Neu a ddaeth rhywun i'ch distyrbio chi?'

Roedd y stafell mor ddistaw fel y gallent glywed y cwnstabl ifanc oedd yn prysur roi popeth i lawr mewn llaw fer, yn troi tudalen o'i lyfr.

Edrychai'r Cyrnol fel pe bai wedi blino, ac wedi hen-eiddio blynyddoedd mewn munud. Gwyrai ei ben ymlaen ac roedd y rhychau ar ei wyneb yn edrych yn fwy dwfn ac amlwg.

'Ga' i fynd 'nôl i tŷ . . . i "Lodge" nawr, Inspector?' gofynnodd yn llesg. Agorodd yr Inspector ei lygaid led y pen.

'Dŷch chi ddim yn gwadu, felly, Cyrnol? Ydych chi'n fodlon mynd gam ymhellach—a chyfadde'r cyfan?'

'Dwy ddim yn cyfadde dim, Inspector. Rhaid i fi weld cyfreithiwr fi cyn ateb rhagor o cwestiyne.'

Pwysodd yr Inspector yn ôl yn ei gadair ac ymlaciodd. Roedd e'n amlwg yn siomedig. Am foment roedd e wedi gweld o flaen ei lygaid y cês rhyfedd yma'n dod i ben. Ond nawr gwyddai nad oedd yr hen ŵr bonheddig yn mynd i gyfaddef. Byddai rhaid gweithio'n ddygn i gael rhagor o dystiolaeth yn ei erbyn.

'Fe gewch chi'ch cyfreithiwr, Cyrnol. Ac am y tro fe gewch chi fynd.' Tynnodd ei law'n flinedig ar draws ei dalcen.

Ar ôl i'r Cyrnol fynd trodd y Sarjiant ato.

'Wel?' gofynnodd.

'Mae e'n euog, Sarjiant. Ac mae gynnon ni bron digon i fynd â'r achos i'r Llys . . . bron digon rwy'n meddwl . . . Ifans,' meddai gan droi at y cwnstabl, 'ewch nawr . . . rwy i am i chi gadw llygad ar y "Lodge", a hynny heb i bawb wbod eich bod chi'n gneud hynny. Gofalwch na fydd y deryn yma'n mynd ymhell o'ch golwg chi.'

'Syr,' meddai'r cwnstabl gan godi a mynd allan.

Ar ôl i'r drws gau dywedodd yr Inspector, 'Am foment, Sarjiant, rown i'n meddwl 'i fod e gyda ni—'i fod e'n mynd i gyfadde'r cyfan.'

'A finne hefyd. Ond mae e wedi cyfadde llawer on'd yw e, syr?'

'Ydi mae e. Mae e wedi cyfadde mai fe yw perchen y reiffl. Pan gawn ni adroddiad yr Adran Fforensig yng Nghaerfyrddin, fe fyddwn ni'n gwbod sut y buodd Henri Teifi Huws farw. Os mai wedi'i saethu mae e—yna mae siawns dda gyda ni i gael y Cyrnol i'r crocbren. Fe yw perchen y *murder weapon*, Sarjiant, ac roedd ganddo fe'r *motive*, ac yn sicr i chi roedd ganddo fe'r cyfle. Beth arall sy eisie?'

Y foment honno daeth cnoc galed ar y drws.

'Dewch mewn!' gwaeddodd yr Inspector.

Cerddodd Marïa i mewn. Roedd ei gwallt yn ffluwch i gyd ac roedd golwg wylltach nag arfer yn ei llygaid.

'Y . . . Miss Jones . . .' meddai'r Inspector yn anfodlon.

'Inspector, rwy i wedi . . . wedi gweld rhywbeth . . .' Roedd golwg mor wyllt arni nes gwneud i'r ddau blisman edrych yn syn arni.

'Miss Jones, rydyn ni'n digwydd bod yn brysur . . .' meddai'r Inspector.

'Ond rwy i wedi gweld corff arall!'

Neidiodd yr Inspector ar ei draed.

'Nonsens, Miss Jones,' gwaeddodd, 'mae hynny'n amhosib.'

Ysgydwodd Marïa'i phen.

'Mae e yn y llyn ar waelod y Parc,' meddai'n fwy tawel.

'Pwy sy yn y llyn?' gofynnodd y Sarjiant.

'Simpson—Simpson y *chauffeur*. Mae e'n gorwedd ar y gwaelod . . . ar 'i gefen . . . a'i wyneb i fyny ac mae 'i lyged e ar agor ac maen nhw'n staran . . .'

'Y Nefoedd fawr!' meddai'r Inspector. Roedd disgrifiad brawychus Marïa wedi gwneud iddo gredu ei bod yn dweud y gwir.

'Ddewch chi i ddangos i ni, Miss Jones?' gofynnodd.

'Gwnaf,' meddai Marïa, 'ond fydda i ddim yn edrych arno fe 'to, Inspector. Anghofia i byth mohono fe . . . fe fydda i'n methu cysgu am wythnose . . .'

Ar y ffordd eglurodd Marïa i'r Inspector ei bod hi wedi cael ffrae gyda Millicent Lewis ar ôl iddyn nhw fynd. Roedd Millicent wedi digio wrthi am ddweud am y reiffl, ac roedd hi, Marïa, wedi mynd am dro wrthi'i hunan o gwmpas y Parc yn lle dychwelyd yn syth i'r Plas. A dyna sut roedd hi wedi dod at y llyn bach yng ngwaelod y Parc a darganfod y corff.

Cawsant Simpson yn gorwedd yn y dŵr fel roedd Marïa wedi dweud. Roedd ei wyneb tenau fel darn o farmor llonydd ar waelod y llyn. Chwifiai llys gwyrdd y dŵr o gwmpas ei ben ac yn awr ac yn y man gwibiai mân bryfed y llyn dros ei lygaid glas agored. Am ysbaid hir bu'r ddau blisman yn edrych i lawr arno. Gwyddai'r ddau na ellid cadw'r stori yn ôl oddi wrth wŷr y Wasg un awr yn hwy. Roedd y digwyddiadau ym Mhlas y Gwernos yn mynd i gael y dudalen flaen hyd yn oed gan bapurau Llundain yn y diwrnodau oedd i ddilyn.

Trodd y Sarjiant ei ben i edrych ar Marïa.

Er iddi ddweud na fyddai hi ddim yn gwneud—roedd hi'n sefyll yn ymyl y llyn yn gwylio'r corff yn y dŵr. Edrychai fel pe bai ei llygaid wedi eu hoelio ar yr wyneb oer yn y gwaelodion. A meddyliodd y Sarjiant am foment —er iddo amau hynny wedyn—iddo weld hanner gwên ar ei hwyneb.

*   *   *

Roedd corff Simpson y *chauffeur* wedi mynd mewn ambiwlans i Gaerfyrddin, ac roedd Ifans y *Mail* wedi cael ei stori a'r hawl i'w hanfon i'r papurau. Gadawodd y Plas yn ddyn hapus tu hwnt. Nid oedd stori fawr fel hon wedi dod i'w ran erioed o'r blaen, ac roedd e'n benderfynol o wneud y defnydd gorau ohoni. Roedd e eisoes wedi tynnu lluniau o'r Plas a'r garej ac roedd e wedi llwyddo rywfodd neu'i gilydd i gael hen lun o wraig y Plas. Mae anffawd rhai'n troi'n fendith i eraill, meddai'r hen air. Felly yr oedd hi yn yr achos hwn—roedd y digwyddiadau dychrynllyd ym Mhlas y Gwernos wedi gwneud y newyddiadurwr, Ifans y *Mail*, yn ddyn dedwydd iawn.

Ond yn y Plas ei hun roedd darganfod corff Simpson wedi achosi braw a dychryn. Âi'r gweision a'r morynion o gwmpas y lle'n ddistaw, gan edrych i lygaid ei gilydd mewn penbleth ac ofn. Ni wyddai neb bellach beth i'w feddwl. Dau gorff, un wedi ei ddarganfod yng nghanol lludw'r tân yn y garej, a'r llall mewn llyn o ddŵr yn y Parc. Tân a dŵr! Beth oedd ystyr hyn oll, a phwy oedd yn gyfrifol? Dechreuodd pawb amau pawb arall. A oedd y llofrudd yn eu mysg? Os oedd, pwy fyddai nesaf? Disgynnodd rhyw dristwch a dieithrwch mawr dros y teulu hefyd, ac aeth Edith Huws i gadw i'w hystafell ei hun. Teimlai na allai hi bellach ddod allan i wynebu pobl.

Roedd hi'n nosi'n gyflym pan gafodd y Sarjiant a'r Inspector lonydd i eistedd i lawr eto yn eu H.Q. Roedd y ddau wedi blino'n arw, yn enwedig y Sarjiant a oedd wedi bod ar ei draed drwy'r noson gynt. Ond gwyddai'r ddau na fyddai llawer o orffwys i'r un ohonynt nes byddai'r dirgelion ym Mhlas y Gwernos wedi eu datrys.

'Fe ddylsech chi fod *off duty* ers wyth o'r gloch bore 'ma, Sarjiant,' meddai'r Inspector, 'mae golwg flinedig arnoch chi.'

Gwenodd Sarjiant Tomos. 'Rŷch chithe wedi cael diwrnod hir hefyd,' meddai.

'Wel, fe fydd rhaid i ni'n dou gael tipyn o gwsg heno, waeth fe fydd hi *off* 'ma fory, gewch chi weld. Ond cyn mynd fe fyddwn i'n hoffi trafod y cês gyda chi.'

Gwenodd y Sarjiant eto. Nid oedd dim yn well ganddo na dal pen rheswm fel hyn gyda'r Inspector.

'Ble'r ŷn ni'n sefyll nawr?' gofynnodd ei bennaeth.

Ysgydwodd y Sarjiant ei ben. 'Fe wyddon ni bellach mai ei saethu gafodd Simpson. Does dim eisie i ni aros am adroddiad yr Adran Fforensig cyn gwybod hynny—roedd twll y bwled o dan 'i ên e'n ddigon clir. Ac fe ddwedwn i fod y fwled wedi mynd tuag i fyny trwy waelod yr ymennydd . . . a dyna achos 'i farwolaeth e.'

'Rwy'n cytuno'n llwyr; a rywbryd fory fe fyddwn ni'n gwybod sut y buodd Henri Teifi Huws farw . . . roedd y corff wedi ei losgi'n rhy ddrwg i ni allu penderfynu . . . ond os yw'r ddau wedi cael 'u saethu . . . mae'n debyg ein bod ni'n dod 'nôl at y Cyrnol eto. Os mai fe saethodd Mr Huws . . . mae'n bosib i Simpson 'i weld e, ac er mwyn rhoi taw arno fe am byth . . . wel . . . fe saethodd hwnnw wedyn. Mae'n gwneud sens, rwy'n meddwl, Sarjiant.'

'Ydi. Ond wyddoch chi, Inspector, mae 'na ryw ddirgelwch mowr ynghylch y Miss Jones 'ma hefyd.'

'Marïa?'

'Ie. Rwy i wedi bod yn meddwl. Honna sy wedi rhoi i ni bob tamaid bach o wybodaeth sy gyda ni bron. Hi ddwedodd wrthon ni fod y tad a'r mab wedi cweryla ynghylch arian, hi ddwedodd am y row fu rhwng Mr Huws a'i ferch ynghylch y *chauffeur*, a chyda hi y cawson ni'r wybodaeth am y reiffl a phwy oedd ei berchen.'

'A hi ddaeth o hyd i'r corff yn y llyn!'

'Ie.'

'Wel, wel! Down i ddim wedi sylweddoli hynny nes i chi ddweud! A sut digwyddodd hi fynd ffor'na i gyfeiriad y llyn? *Digwydd* mynd oherwydd iddi gwympo mas â gwraig yr hen Gyrnol? Neu a oedd hi'n *gwbod* yn iawn fod y corff yn y llyn . . .?'

'Rwy'n meddwl y dylen ni gadw llygad manwl arni hi,' meddai'r Sarjiant.

'Rhaid. Wyddech chi, mae 'na ryw wallgofrwydd ynghylch y ddwy weithred 'ma . . . rwy'n teimlo hynny . . . ac mae 'na ryw odrwydd—bron na ddwedwn i wallgofrwydd—o gwmpas Marïa Jones hefyd. Fe fydd rhaid i ni ei chadw hi'n weddol uchel ar restr y *suspects* Sarjiant.'

'Bydd. Pwy arall, Inspector?'

Ysgydwodd hwnnw ei ben. 'Y mab, Idwal, wrth gwrs. Roedd hi'n galed arno fe . . . roedd e'n cael 'i fygwth gan y rhai oedd wedi rhoi benthyg arian iddo. Ac roedd 'i dad yn gwrthod 'i helpu fe. Roedd e allan neithiwr am amser hir . . . yn crwydro o gwmpas, medde fe. Ond doedd neb wedi'i weld e. Yn ystod yr amser yna fe alle fod wedi lladd 'i dad—a Simpson.'

'Pwy arall?'

'Gwraig Idwal, Cynthia. Doedd hi ddim yn y tŷ pan ddaeth Idwal i mewn a mynd i'r llofft. Roedd hi wedi mynd allan i edrych am ei gŵr, medde hi. Ond doedd 'i gŵr ddim wedi'i gweld hi, na neb arall chwaith . . . fe gafodd hi'r cyfle felly.'

'Rhywun arall?'

Cododd yr Inspector ei freichiau uwch ei ben.

'*Pawb* arall! Dyna'r gwir ontefe? Beth am y Garddwr 'na sy'n methu dod o hyd i'r gwn ddylai fod yn y tŷ gwydr? Ble mae'r gwn? Efallai mai dyna'r *murder weapon*, Sarjiant, ac nid un y Cyrnol. A beth am y ferch, Olwen? Hi yw'r unig un sy wedi rhedeg i ffwrdd. Mae'r euog yn ffoi heb ei erlid, meddai'r hen air. A'r creadur mawr gwallt coch 'na sy'n gofalu am Mrs Huws? Dyna ddyn ddwedwn i, a alle gyflawni unrhyw weithred pe bai e'n meddwl fod 'i feistres yn cael 'i phoeni neu'n cael cam. Ŷch chi'n cofio'r olwg ar 'i wyneb e pan oedden ni'n holi Mrs Huws—pan dorrodd hi lawr?'

'Ydw, Inspector. Fe ddwedwn i fod hwnna'n ddyn ymosodol—*aggressive*—os buodd un erioed.'

'Yn hollol. A beth am y lleill o'r staff—y gweision a'r morynion? Fe all unrhyw un o ddwsin o bobol fod wedi lladd y ddau yma.'

'Beth am Mrs Huws?'

'Cripil mewn cadair olwyn? Ydi hi'n bosib? Fedre hi? Fe ddweda i un peth, Sarjiant—synnwn i ddim nad yw hi'n gwbod pwy yw'r llofrudd. Os ŷch chi'n cofio fe fuodd hi'n ceisio ganddon ni adael pethe'n llonydd—i beidio â holi a cheisio dal y llofrudd. Beth ŷch chi'n feddwl am beth fel'na?'

Ysgydwodd y Sarjiant ei ben.

'Roedd hi'n ofni . . . neu yn gwbod . . . y bydden ni'n arestio ei mab, neu ei chwaer—neu yn wir, ei merch.'

'Dyna 'marn inne hefyd, Sarjiant.'

'Ond y Cyrnol . . . ?'

'Fe wn i, Sarjiant, fe wn i. Gobeithio cawn ni dipyn rhagor o oleuni fory. Wel, mae'n well i chi fynd, neu fe fyddwch yn cysgu ar eich traed. Rwy i am eich gweld chi yma—ar ddihun, cofiwch—am wyth o'r gloch bore fory.

Fe fydd y brain wedi disgyn ar ein penne ni erbyn hynny debyg iawn.'

'Y brain . . . ?'

'Adar duon y Wasg, Sarjiant. Bechgyn y papure newydd.'

'Ie. Wel mi a' i 'te. Nos da, syr.'

Yn y drws trodd y Sarjiant yn ôl. 'Pryd ŷch *chi*'n mynd i'r gwely 'te?' gofynnodd.

'Rwy'n mynd i aros ar lawr nes daw'r eneth 'na o Lunden.'

'Ydych chi'n mynd i'w holi hi heno?'

Gwenodd yr Inspector. Gwyddai y byddai'r Sarjiant am fod yno pan fyddai'n holi Olwen Huws.

'Na. Ond rwy i am fod 'ma pan ddaw hi . . . i weld sut y bydd hi'n bihafio a sut y bydd 'i mam a'i brawd a'i modryb yn ymddwyn tuag ati.'

Nodiodd y Sarjiant ei ben wrth ymadael.

11

Gofalodd yr Inspector mai car yr Heddlu oedd yn disgwyl Olwen Huws a'i hen nyrs, Mrs Wilcox, oddi ar y trên yng ngorsaf Aberteifi am hanner nos.

Yn awr eisteddai'n berffaith lonydd yn sedd flaen yr Wolsley mawr, â choler ei got wedi ei godi am ei glustiau. Yn ei ymyl, wrth olwyn y car, yr oedd y plisman ifanc, Islwyn Jones—hwnnw oedd wedi rhofio penglog Henri Teifi Huws allan o rwbel y garej. Unwaith eto cofiodd yr Inspector y sŵn clwc a wnaeth y peth wrth ddisgyn ar y siment. Y 'peth'! Y noson gynt roedd e'n ben byw llawn synnwyr a deall—a beth arall? Dicter? Diflastod? Cynllwynion? Ond ar y siment y bore hwnnw, ac yn y gist yn ddiweddarach, doedd e'n llawn o ddim ond lludw, a'r tyllau lle bu'r llygaid yn ddim ond ceudod dall. Ac yn y Plas, neu rywle, roedd y person a oedd wedi achosi'r newid ofnadwy yna, yn cerdded o gwmpas ac yn gofidio (efallai) fod y Polîs wrth ei sodlau. Ond pwy oedd e? Pwy?

O'r fan lle safai'r Wolsley tu allan i'r orsaf, gallai'r Inspector weld i fyny'r lein—hynny yw, pe bai'n ddydd—a gwyddai y byddai'n gallu gweld golau'r trên ymhell cyn iddo gyrraedd yr orsaf. Ond nid oedd eto sôn am olau ar y lein, er ei bod hi'n tynnu am ugain munud i un.

'Mae e'n hwyr, Jones,' meddai.

'Mae e'n arfer bod rwy'n meddwl, syr,' oedd ateb cysglyd y cwnstabl ifanc.

Roedd hi'n bum munud i un a llygaid yr Inspector bron â chau gan flinder, pan neidiodd golau'r trên i'r golwg heibio i dro yn y lein. Daeth yn gwbwl effro mewn winciad.

'Dyma fe, Jones!'

Gadawodd y car a mynd i mewn trwy'r fynedfa i'r orsaf. Safodd ar y platffform i ddisgwyl i'r trên gyrraedd.

Dim ond y ddwy ddynes a thri o forwyr ifainc a ddisgynnodd o'r trên. Am foment bu'r Inspector yn gwylio'r ddwy yn cerdded i fyny'r platffform at y fynedfa. Dynes fer, dew oedd Mrs Wilcox, a chariai fag lledr meddal yn un llaw a rhyw fath o fasged blethedig yn y llall. Roedd Olwen Huws hefyd yn tueddu i fod yn rhy dew, a synnodd yr Inspector wrth weld mor aflêr oedd ei gwisg a'i gwallt. Wrth gwrs, meddyliodd, mae hi wedi teithio yn y trên o Lundain yn nyfnder nos, ac efallai wedi bod yn cysgu ar y ffordd.

Daeth y ddwy at y fynedfa.

'Miss Huws a Mrs Wilcox?'

Cymerodd Olwen Huws gam cyflym yn ôl.

'Y Polîs! Inspector!' meddai. Edrychai ar y swyddog fel cwningen ofnus.

'Ie, Miss Huws,' meddai'r Inspector, gan gyffwrdd â'i gap pig-gloyw, 'peidiwch â tharfu . . . rwy i wedi dod â'r car i fynd â chi i'r Plas. *Let me take your case, Mrs Wilcox.*'

'*Oh, you know my name do you?*' meddai'r hen nyrs. '*No, I can manage thank you. Where's the car, we're both tired . . . ?*'

'*Follow me,*' meddai'r Inspector.

Wedi rhoi'r ddwy'n ddiogel yn sedd ôl yr Wolsley cychwynnodd y car yn llyfn o iard y stesion i fyny'r ffordd tua Phlas y Gwernos.

Er i'r Inspector ddweud wrth Sarjiant Tomos na fyddai'n holi Olwen Huws, fe wyddai nawr fod un cwestiwn y byddai'n *rhaid* iddo ei ofyn iddi—a hynny cyn iddi gyrraedd y Plas. Ac yn awr, â'r car mawr, pwerus yn tynnu'n esmwyth i fyny'r rhiw, dyma fe'n troi ei ben tua'r sedd ôl.

'Miss Huws,' meddai, 'y . . . fedrwch chi ddweud wrthon ni pwy laddodd eich tad?'

Gwyddai'n iawn ei fod yn gwestiwn creulon. Ond gwyddai hefyd fod rhaid ei ofyn yn blwmp ac yn blaen fel yna. Ni ddaeth unrhyw ateb o'r sedd ôl.

'Wel, Miss Huws?' Roedd llais yr Inspector wedi codi.

'Dennis,' meddai Olwen o'r diwedd.

'Dennis?' gofynnodd yr Inspector mewn penbleth.

'Dennis Simpson, y *chauffeur*,' meddai'r eneth mewn llais bach na allai'r Inspector ond prin ei glywed. Dechreuodd ei galon guro'n gyflymach.

'Ydych chi'n siŵr, Miss Huws?' gofynnodd.

'Ydw.' Roedd ei llais yn gryf yn awr.

'Ond sut gallwch chi fod yn siŵr?'

'O . . . mae'n stori hir, Inspector, ac rwy i wedi blino'n ofnadw heno . . . oes gwahaniaeth gyda chi aros hyd bore fory? Fe ddweda i'r cwbwl wrthoch chi yn y bore.'

Ni ddywedodd yr Inspector ddim un gair am funud. Gwyddai yn ei galon y dylai fynd ar ôl y wybodaeth oedd gan Olwen Huws ar unwaith. Ond roedd hi wedi blino. Fe wyddai hynny'n iawn. Nid ffugio yr oedd hi. Roedd yntau wedi blino hefyd, ac fe fyddai'n fwy siarp ei feddwl yn y bore, meddyliodd. Beth bynnag roedd hi bron â bod yn fore'n barod!

'O'r gore, Miss Huws. Os ŷch chi'n addo datgelu'r cwbwl yn y bore, phoena i ddim rhagor arnoch chi heno. Dim ond un cwestiwn arall felly 'te—ac mae'n rhaid i fi ofyn hwn.'

'Ie?'

'Pwy laddodd Simpson y *chauffeur*?'

'Dwy i ddim yn gwbod, Inspector; does gen i ddim syniad, wir i chi.'

Tynnodd yr Inspector anadl hir a throi ei ben i wylio'r ffordd o'i flaen yn dirwyn o dan fonet y car. Yna roedd yr Wolsley'n troi o'r ffordd fawr i fyny'r lôn hir yn arwain i'r Plas.

* * *

Pan gerddodd yr Inspector i mewn i *drawing room* mawr y Plas wrth sodlau Olwen a Mrs Wilcox, gwelodd fod pawb o'r teulu wedi aros ar eu traed i'w disgwyl. Cododd yr Inspector ei aeliau wrth weld hyn, waeth roedd hi yn awr yn chwarter wedi un.

Rhedodd Marïa ar draws yr ystafell a chofleidiodd ei nith. Yna gwnaeth Idwal yr un peth.

'Olwen,' meddai ei brawd, 'mae pethe wedi mynd yn rhyfedd 'ma . . . fel rwyt ti'n gwbod erbyn hyn, wrth gwrs.'

Daeth Cynthia at Olwen hefyd a'i chusanu ar ei boch.

'*Welcome home, dear*,' meddai. '*I'm so sorry, so terribly sorry* . . .'

Roedd Edith Huws yn gwylio'r holl gyfarchion hyn o'i chadair olwyn yn ymyl y tân, ond ni wnaeth hi unrhyw symudiad tuag at Olwen. Ond gwenodd wên wannaidd ar Mrs Wilcox a oedd yn sefyll ar ganol y llawr heb gael sylw gan neb.

Daeth y Cwc, a oedd hefyd wedi aros ar ei thraed yn hwyr, i mewn yn awr â throli ac arni lestri, tebot yn mygu a darnau bach sidêt o fara menyn a ham.

Safodd yr Inspector o'r neilltu'n gwylio'r olygfa o'i flaen. Rywfodd teimlodd eu bod fel cymeriadau mewn theatr â llawr yr ystafell fawr honno yn y Plas yn llwyfan iddynt. Roedden nhw'n actio—fe deimlai hynny yn ei esgyrn—ac eto ni allai fod yn siŵr pwy oedd yn ffugio a phwy oedd ddim. Ond fe deimlai fod rhywbeth yn dwyll-odrus yn yr olygfa a'r siarad.

Yna'n sydyn canodd Edith Huws y gloch.

Fe ddaeth y cochyn mawr i mewn bron ar unwaith. Aeth yn syth at y gadair olwyn. Edrychodd yn graff ar wyneb ei feistres fel pe bai am weld sut oedd hi'n teimlo. Gwelodd yr ôl straen ar yr wyneb gwelw ac edrychodd o

95

gwmpas yr ystafell i geisio dyfalu pwy oedd wedi ypsetio'i feistres annwyl. Yna disgynnodd ei lygaid ar wyneb Olwen a gwgodd yn waeth fyth ar honno.

'Ewch â fi nawr, Jim,' meddai Mrs Huws. Roedd ei llais yn wan gan flinder.

Yna, o un i un, roedd y lleill wedi ymadael hefyd. Edrychodd yr Inspector ar y cloc ar y silff-ben-tân. Roedd hi'n bum munud i ddau. Ysgydwodd ei ben—roedd hi wedi mynd yn rhy hwyr iddo fynd adre bellach. Eisteddodd yn y gadair esmwyth fawr yn ymyl y tân a dechreuodd feddwl am lawer o bethau. Bron ar unwaith fe ddaeth teimlad o syrthni a rhyw flinder melys drosto. Caeodd ei lygaid, a'r meddwl diwethaf yn ei ben cyn iddo gysgu oedd y byddai rhaid iddo gael benthyg rasal gan rywun yn y bore i siafio. Un Henri Teifi Huws efallai? O leiaf byddai honno'n segur!

Cysgodd yr Inspector a gwelwodd cochni'r tân yn y grât. Tu allan i'r Plas, yng ngolau'r lleuad, cerddai dau blisman i fyny ac i lawr, i fyny ac i lawr o flaen a thu ôl i'r Plas, gan ddod i gwrdd â'i gilydd yn awr ac yn y man.

12

Pan ddihunodd yr Inspector roedd Mrs Williams y Cwc yn sefyll yn ei ymyl â chwpanaid o goffi yn ei llaw. Roedd y tân yn y grât yn farw a theimlodd ias oer yn mynd trwy ei gorff. Neidiodd ar ei draed a chodi ei freichiau uwch ei ben.

'Mrs Williams!' meddai. 'Un dda ŷch chi am gwpaned mae'n rhaid dweud.'

'Yfwch e nawr. Tawn i'n gwbod eich bod chi'n mynd i gysgu fan hyn neithiwr mi fu'swn i wedi dod â blanced neu rywbeth . . . ond o ran hynny fe allech fod wedi ca'l gwely . . .'

'Popeth yn iawn, Mrs Williams, roedd y gadair 'ma mor esmwyth â gwely bob tamed.'

Edrychodd ar y cloc. Deng munud wedi saith. Trodd Mrs Williams i fynd allan o'r ystafell ond stopiodd yr Inspector hi.

'Y . . . Mrs Williams.'

'Ie, Inspector?'

'Beth ŷch chi'n feddwl am y peth diwetha 'ma . . . y . . . cael Simpson y *chauffeur* yn y llyn?'

Edrychodd y Cwc dew yn wyliadwrus arno.

'Dyw e ddim yn fusnes i fi, Inspector.'

'Ond ddynes, mae'n rhaid eich bod chi'n gwbod rhyw-beth! Rown i'n meddwl fod y dyn wedi mynd o 'ma . . . wedi cael y sac . . . ac wedi cymryd y trên i Lunden . . .?'

Ysgydwodd y Cwc ei phen. 'Na, doedd e ddim wedi mynd gyda'r trên echdoe, fel roedd pawb wedi meddwl.'

'O? Sut ŷch chi'n gwbod?'

'Wel . . . dwy i ddim yn gwbod a ddylwn i ddweud hyn . . .'

'Ond ddynes, mae'n *rhaid* i chi ddweud . . . mae'n drosedd i gadw unrhyw wybodaeth oddi wrth y Polîs. Ŷch chi ddim yn deall hynny?'

Agorodd y Cwc ei llygaid mewn peth dychryn. 'Wel, pan oedd Mr Huws a Meistres yn siopa yn y dre echdoe fe aeth y ffôn. Fel digwyddodd hi, fi atebodd. Simpson oedd 'na . . . yn gofyn am gael gair â Miss Huws . . . Olwen. Roedd hynny yn y prynhawn ac roedd e wedi mynd o 'ma yn y bore bach.'

'Ond fe alle fod yn ffono o Lunden?'

'Na, roedd e'n swnio'n agos reit.'

'Ie, wel . . . y . . . ddigwyddoch chi glywed peth o'r siarad fuodd rhyngddyn nhw?'

Edrychodd Mrs Williams yn anesmwyth.

'Wel?'

'Wel, Inspector . . . gan fod yr holl ffys wedi bod—ŷch chi'n gwbod—Simpson yn ca'l sac, ac Olwen yn aros yn 'i stafell ar y llofft, a Mr Huws mor grac . . . rown i'n teimlo 'i bod hi'n ddyletswydd arna i i wrando, neu i geisio gwrando i weld beth oedd yn mynd ymla'n. Rown i'n gwbod o fla'n Mr Huws fod Simpson ac Olwen . . .'

'Ie. Wel, lwyddoch chi i glywed rhywbeth?'

'Do, Inspector. Fe glywes i ddigon i wbod 'u bod nhw'n trefnu i gwrdd â'i gilydd echnos.'

'Oedden nhw . . . y . . . yn trefnu rhedeg bant gyda'i gilydd neu rywbeth?'

'Rwy'n meddwl 'u bod nhw, Inspector.'

'A phan ddaeth Mr a Mrs Huws 'nôl—ddwedsoch chi wrthyn nhw?'

'Naddo.'

'Naddo! Pam?'

'Fe fues i'n meddwl yn hir am y peth, ac yn y diwedd fe benderfynes i nad oedd e ddim yn fusnes i fi o gwbwl. Cwc ydw i 'ma a 'ngwaith i yw paratoi bwyd . . .'

'Ond roedd Olwen, merch y Plas, yn mynd i redeg bant gyda'r *chauffeur*—oedd hi ddim yn ddyletswydd arnoch chi i rybuddio'r tad a'r fam?'

'Nagoedd!' Caeodd y Cwc ei gwefusau'n dynn.

'Ond fe wyddech chi y bydde hi'n digio'i thad wrth wneud peth felly?'

'Doedd dim gwahaniaeth gen i. Rown i am i Mr Huws weld mai Idwal . . .'

Stopiodd yn sydyn gan godi ei llaw at ei cheg.

'Ie, beth am Idwal?' gofynnodd yr Inspector. Edrychodd y ddynes dew yn hir arno heb ddweud gair. Roedd hi'n amlwg yn pwyso a mesur yn ei meddwl faint i'w ddatgelu o'r hyn oedd hi'n wybod.

'Inspector,' meddai o'r diwedd, 'rwy i wedi bod gyda'r teulu anhapus yma am flynyddoedd mawr iawn, ac rwy'n 'u nabod nhw i gyd yn bur dda.'

'Rwy'n siŵr eich bod chi . . . ond . . .'

'Inspector, mae yna rai yn y teulu 'ma sy'n—sy'n . . . y . . . wel—yn abnormal—fe ddweda i fel'na.'

Cododd yr Inspector ei aeliau. 'Ie?'

'Wel, dyna i chi Miss Marïa . . . rhaid eich bod chi wedi sylwi nad yw hi ddim yn . . .'

'Yn normal?'

'Ie!'

'O oeddwn, rown i wedi sylwi arni hi . . .'

'Wel, dyw Olwen ddim chwaith.'

'O? Down i ddim wedi sylwi ar ddim yn abnormal yn 'i chylch hi. Ond neithiwr gweles i hi gynta . . . ond mae'n rhaid i fi ddweud na weles i ddim byd o'i le ar y ffordd roedd hi'n bihafio.'

'Mae hi'n waeth na Miss Marïa, Inspector,' meddai'r Cwc â'i llais yn galed.

Unwaith eto cododd yr Inspector ei aeliau mewn syndod. 'O?' Roedd ei lais yn swnio'n amheus.

'O, roedd 'i thad yn meddwl y byd ohoni, rwy'n gwbod, ac roedd e mor ddig tuag at Idwal wedyn, druan, ag y galle fe fod; ond y pethe rwy i wedi weld, Inspector, a'r storïe y gallwn ni 'u hadrodd—fe fyddech yn synnu!'

'Wel, dwedwch wrtha i nawr, Mrs Williams,' meddai'r Inspector.

'Mae Mrs Huws wedi gweld amser caled, druan fach, alla i ddweud wrthoch chi—rhwng 'i bod hi'n gripil fel 'na a'r ffwdan gyda'i chwa'r, Marïa, ac Olwen wedyn—mwy o ffwdan gydag Olwen na Miss Marïa, cofiwch—yn dawel bach. A beth oedd yn torri'i chalon hi'n waeth na dim oedd y ffaith nad oedd Mr Huws ac Idwal ddim yn siarad â'i gily' bron. Hen grwt bach ffein iawn fuodd Idwal erio'd, Inspector, a phe bydde fe wedi rhoi mwy o'i sylw iddo fe a llai i Olwen, falle bydde fe'n fyw heddi.'

'Beth ŷch chi'n geisio'i ddweud wrtha i, Mrs Williams? Ydych chi'n gwbod pwy laddodd Mr Huws?'

Edrychodd y Cwc i fyw ei lygad.

'Wel?'

Ysgydwodd y ddynes dew ei phen, ond ni ddywedodd ddim.

'Idwal lladdodd e?'

'Idwal? Na, na, nid Idwal!'

'Pwy 'te?'

'Gofynnwch i Olwen, mae hi'n gwbod.'

'Sut y gwyddoch chi hynny?'

Ond roedd y Cwc wedi cydio yn ei gwpan gwag, ac roedd hi'n mynd am y drws.

'Mrs Williams!'

Ond yr unig ateb a gafodd yr Inspector oedd sŵn y drws yn cau—glep.

Aeth yntau allan o'r ystafell wedyn. Yn y coridor ar ei ffordd i'r H.Q. gwelodd Anna, y forwyn fach ddel oedd bob amser ar frys.

'A!' meddai. 'Anna, mae arna i angen rasal i siafio. Fedrwch chi gael un i fi?'

'Galla, syr,' meddai'r forwyn fach mor ddidaro â phe bai wedi gofyn am lwy i droi ei de. Edrychodd arni braidd yn syn. A oedd gan yr eneth fach, dlos yma ryw ran yn yr hyn oedd wedi digwydd ym Mhlas y Gwernos?

'Os dewch chi i fyny'r grisiau i'r bathrwm, syr; fe ddangosai i i chi. Mae rasel a sebon siafio a phopeth yn y bathrwm.'

Gwenodd yr Inspector arni. 'Diolch, 'merch i.'

Aeth yr eneth trip, trip i fyny'r grisiau o'i flaen.

'Fan hyn, syr,' meddai, gan agor drws y bathrwm a cherdded i mewn o'i flaen. Gwelodd hi'n agor drws cwp-wrdd bach uwchben y basn ymolchi. Tynnodd allan *safety* loyw a brws sebon.

'Dyna chi, syr,' meddai. Yna roedd hi wedi diflannu.

Wrth roi'r sebon persawrus ar ei wyneb meddyliai'r Inspector tybed a oedd e'n siafio â rasal y diweddar Henri Teifi Huws wedi'r cyfan!

*   *   *

Edrychai'r Inspector yn drwsiadus ac yn effro pan gerdd-odd i mewn i'r H.Q.. Cafodd beth syndod i weld fod y Sarjiant wedi cyrraedd o'i flaen. Sylwodd fod wyneb crwn hwnnw yn sgleinio hefyd. Roedd yntau wedi siafio'n ofalus cyn dod y bore hwnnw.

'Bore da, syr,' meddai Sarjiant Tomos.

'Bore da, Sarjiant. Gysgoch chi'n iawn neithiwr?'

'Do diolch. A chithe?'

'Do. Fe gysges i 'ma wedi'r cyfan . . . roedd hi wedi mynd yn rhy hwyr i fynd adre erbyn i ni ddod â Miss Huws a'r ddynes arall 'na lan yma o'r stesion a phopeth.'

Edrychodd y Sarjiant yn syn arno, ond ni ddywedodd air.

'Mae bechgyn y Wasg yn eich disgwyl chi, syr,' meddai'r Sarjiant.

'O ie? Ymhle maen nhw, Sarjiant?'

'Wrth ddrws y ffrynt, syr. Mae bechgyn Llunden 'ma'n dew.'

'Lle bo'r celanedd yno y bydd y fwlturiaid, Sarjiant.'

'Pwy ddwedodd hynna, Inspector?'

Gwenodd ei bennaeth ar Sarjiant Tomos. 'Pwy a ŵyr, Sarjiant; ond mae'n wir on'd yw e?' Yna aeth y ddau gyda'i gilydd i gwrdd â gwŷr y Wasg.

Wrth borth mawr y Plas roedd yna tua phymtheg o ddynion a rhai merched yn disgwyl yn ddiamynedd amdanynt. Roedd nifer o gamerâu yn y golwg hefyd.

'*Inspector, is it true that two men have died and that at least one of them has been murdered?*'

Gwenodd yr Inspector yn fwyn ar yr holwr.

'*It is right that two men have died in suspicious circum-stances.*'

'*Are we right in thinking that one of them was shot?*'

'*One body did have what looked like a bullet-wound, but whether that caused his death or not we cannot tell at the moment. We are waiting for the forensic report which could be in our hands today.*'

'*Have you any clues?*'

'*Do you expect to make an early arrest?*'

'*We have a few lines of inquiry that we are following*—'
Ymlaen ac ymlaen—yr un hen gwestiynau a'r un hen atebion gofalus. Roedd yr Inspector yn mynd yn fwy cwta a diamynedd o hyd, waeth roedd e'n ysu am gael mynd ati i holi Olwen Huws. On'd oedd hi wedi dweud ei bod hi'n gwybod pwy oedd wedi lladd ei thad?

O'r diwedd cafodd wared gwŷr y Wasg trwy addo y byddai'n rhoi rhagor o wybodaeth iddynt yn ystod y dydd, ac y byddai'n rhoi adroddiad llawn o'r holl ddatblygiadau iddynt cyn eu *deadline* am wyth o'r gloch y noson honno.

13

Roedd Olwen a'i mam yn disgwyl yr Inspector a'r Sarjiant yn yr H.Q. pan ddychwelodd y ddau yno ar ôl cael gwared o fechgyn a merched y Wasg.

'A! Bore da i chi'ch dwy,' meddai'r Inspector, gan edrych i fyw llygad Edith Huws, a eisteddai fel arfer yn ei chadair olwyn.

'Dwy ddim yn meddwl, Mrs Huws,' meddai, 'y . . . y . . . bydd eich angen chi arnon ni bore 'ma . . . y . . . wel, fe allwn ni holi Miss Huws ar 'i phen 'i hunan; falle bydd hi'n fwy rhydd i ateb ein cwestiyne ni pe . . . y . . . pe byddech chi ddim yma.' Roedd yr Inspector yn swnio'n ffwdanus.

'Rwy'n mynd i aros, Inspector,' meddai Edith Huws, a'i llais yn gryf a phenderfynol. 'Fi yw 'i mam hi ac fe ddylwn i fod yma gyda hi tra byddwch chi'n 'i holi hi.'

Edrychodd yr Inspector ar y Sarjiant am foment ond roedd hwnnw'n edrych ar rywbeth diddorol ond cwbwl anweledig ar do'r ystafell. Yna gan wneud ystum â'i ysgwyddau, eisteddodd yr Inspector i lawr tu ôl i'r bwrdd. 'O'r gore, Mrs Huws, fe gewch chi aros, gan mai dyna'ch dymuniad chi.'

Eisteddodd y Sarjiant mewn cadair yn ei ymyl ac yng nghornel bella'r ystafell cydiodd y plisman ifanc yn ei lyfr a'i bensil.

'Eisteddwch, Miss Huws,' meddai'r Inspector, gan gyfeirio at gadair yr ochr arall i'r bwrdd. Gwyliai ei hwyneb llwyd, plaen yn fanwl. Ni sylwodd ar unrhyw arwydd o gyffro nac ofn, na dim yn od nac abnormal chwaith. Beth oedd y Cwc wedi'i ddweud amdani? A pham?

'Nawr 'te, Miss Huws,' meddai, 'os ŷch chi'n barod i ateb ein cwestiyne ni . . . neu yn well fyth . . . pe baech chi'n adrodd y cyfan ddigwyddodd ar ôl cinio echnos . . .'

Dechreuodd Olwen siarad ar unwaith, yn jerclyd, fel pe bai'r hanes wedi bod yn cronni tu mewn iddi.

'Roedd Dennis a finne wedi trefnu rhedeg bant gyda'n gilydd,' meddai, gan daflu llygad euog ar ei mam. Y foment honno edrychai'n hynod o debyg i'w modryb Marïa, meddyliodd yr Inspector.

'Pryd oeddech chi wedi trefnu hynny, Olwen?' gofynnodd Edith.

Gwgodd yr Inspector arni. Nid hi oedd i ofyn y cwestiynau. Os oedd hi'n mynd i barhau fel hyn byddai *rhaid* gofyn iddi fynd o'r ystafell.

'Pan oeddech chi a Nhad lawr yn siopa yn y dre. Fe ffoniodd Dennis . . . roedd e wedi'ch gweld chi yn Siop

Griffiths . . . trwy'r ffenest, ac wedi mynd i'r ciosg wedyn. Roedden ni wedi addo cwrdd am ddeg o'r gloch ar bwys y llyn yn y Parc . . . a mynd i ddala'r trên hwyr i Lunden—*elopement* ŷch chi'n deall, Inspector.'

Roedd hanner gwên ar ei hwyneb wrth ddweud hyn, ac unwaith eto meddyliodd yr Inspector am y tebygrwydd rhyngddi a'i modryb Marïa.

'Doedd e ddim wedi mynd o Aberteifi o gwbwl felly?' gofynnodd yr Inspector.

'Na, dim ond wedi hala'i bethe mla'n gyda'r trên.'

'Wela i. Ie, ewch ymla'n, Miss Huws,' meddai'r swyddog wedyn.

'Fe es i mas o'r tŷ am hanner awr wedi naw . . . rown i'n teimlo'n rhy ecseited i aros rhagor yn y tŷ . . .' Stopiodd gan daflu llygad eto ar ei mam.

'Pan es i mas,' meddai wedyn, 'fe weles ole yn y garej. Gole bach y bylb wrth ben y drws sy'n dod mla'n pan fydd rhywun wedi agor y drws. Roedd y drws ar agor ychydig bach . . . ac roeddwn i'n gallu clywed siarad uchel ac roeddwn i wedi nabod y lleisie cyn i fi edrych mewn trwy'r drws. Nhad a Dennis oedden nhw.' Stopiodd i edrych o gwmpas fel pe bai'n awyddus i weld pa effaith roedd ei stori'n gael ar ei gwrandawyr. Roedd ei mam yn edrych yn ddwys arni a'i llygaid duon yn llosgi yn ei phen. Bron nad oedd yr Inspector a'r Sarjiant yn dal eu hanadl. A oedd hi ar fin datgelu'r cyfan? Ai ganddi hi yr oedd yr allwedd i'r holl ddirgelwch?

'Beth ddigwyddodd wedyn, Miss Huws?' Roedd llais yr Inspector yn dawel.

'Fe es i'n nes at y drws i wrando. Roedden nhw'n siarad

amdana i . . . amdana i,' meddai wedyn fel pe bai am bwysleisio'r ffaith.

'Beth oedden nhw'n ddweud amdanoch chi, Miss Huws?' Yna gwelodd y ddau blisman hi'n gwrido'n araf dros ei hwyneb i gyd.

'Roedd Dennis yn ceisio taro bargen â Nhad.'

'Taro bargen? Pa fath o fargen?' gofynnodd yr Inspector.

'Roedd e'n dweud wrth Nhad ein bod ni'n dau'n mynd i ffwrdd gyda'n gilydd am ddeg o'r gloch, ond y bydde fe'n fodlon mynd . . .' Roedd ei hwyneb yn goch afiach.

'Mynd hebddoch chi?' gofynnodd y Sarjiant.

'Ie.' Plygodd Olwen ei phen ac edrychodd ar y carped o dan ei thraed.

'Ar ba delerau roedd e'n fodlon gwneud hynny?' gofynnodd yr Inspector.

'Mil o bunnoedd a'r Rolls. "Phoena i byth monoch chi na neb o'ch teulu byth mwy," medde fe. Y peth nesa ddigwyddodd—dyma Nhad yn cydio ynddo fe a'i ysgwyd e 'nôl a mla'n. Dwy ddim yn siŵr beth ddigwyddodd wedyn . . . ond . . . yn sydyn roedd Nhad yn gorwedd yn llonydd ar lawr y garej. Mae'n rhaid fod Dennis wedi'i daro fe â rhywbeth . . . neu wedi'i frathu fe â chyllell neu rywbeth . . . fedra i ddim dweud. Ond y peth nesa ddigwyddodd oedd fod Dennis yn dod am y drws lle'r own i'n sefyll. Fe gilies i 'nôl i'r cysgod . . . roedd 'i ofn e arna i ar ôl yr hyn oedd wedi digwydd. Fe'i gweles i e'n dod mas o'r garej ac yn mynd nerth 'i draed rownd y gornel.'

Arhosodd ar ganol ei stori eto gan edrych o gwmpas i weld sut argraff roedd hi'n gael ar ei gwrandawyr. Ond y tro hwn gofynnodd yr Inspector yn ddiamynedd,

'Ie? Beth ddigwyddodd wedyn?'

'Wedyn?' Roedd hi fel pe bai'n synnu fod yr Inspector yn gofyn rhagor o gwestiynau iddi.

'Ie. Ble'r aeth e?'

'Weles i ddim mohono fe wedyn o gwbwl, Inspector.'

'Beth?'

'Naddo, wir i chi.'

'Ond . . . Wel beth wnaethoch chi wedyn 'te, Miss Huws?'

'O . . . rown i'n teimlo'n ofnadwy . . . yn crynu . . . ond allwn i ddim mynd 'nôl i'r tŷ . . . wyddwn i ddim ble roedd Dennis wedi mynd, a beth bynnag, down i ddim am gael dim byd pellach i'w wneud ag e ar ôl yr hyn rown i wedi'i glywed . . . roedd e wedi cynnig . . . 'y ngwerthu i am fil o bunnoedd a'r Rolls on'd oedd e? Allwn i ddim rhedeg i ffwrdd gydag e wedyn, allen i?' Trodd ei phen fel plentyn diniwed gan edrych i lygaid yr Inspector wrth ofyn y cwestiwn yma. Gwingodd hwnnw'n anesmwyth yn ei gadair.

'Ble'r aethoch chi, Miss Huws?' gofynnodd.

'Fe redes i lawr y lôn.'

'Beth? Aethoch chi ddim mewn i'r garej i weld pa mor ddrwg roedd eich tad wedi ei glwyfo?'

Tynnodd Olwen Huws ei dwy wefus yn dynn.

'Doeddwn i ddim yn ffrindie â Nhad, Inspector. Roedd e wedi gneud sbort . . . '

'Olwen!' meddai Edith ar dop ei llais. Am foment bu'r fam a'r ferch yn edrych ar ei gilydd, ac am unwaith gwelodd y Sarjiant a'r Inspector atgasedd yn eglur yn llygaid duon y ddynes yn y gadair olwyn. Roedd Olwen wedi siarad fel geneth fach wedi cael 'i sbwylio—fel petai wedi pwdu neu ddigio'n blentynnaidd.

'Fe redsoch chi lawr y lôn; beth wedyn, Miss Huws?' Roedd yr Inspector yn daer yn awr.

'Roedd y tacsi roedd Dennis wedi 'i ordro yn dod lan yr hewl pan gyrhaeddes i'r ffordd fawr. Fe ddwedes wrth y dyn fod Dennis wedi'i ordro fe i fi. Ofynnodd e ddim cwestiyne o gwbwl, dim ond troi 'nôl ar ben y lôn. Wedyn fe aeth â fi i'r stesion . . .'

'Ac fe gawsoch chi'r trên hwyr i Lunden?' gofynnodd yr Inspector.

'Do, ac fe es i wedyn at Mrs Wilcox.'

'Ond Dennis, Miss Huws fach—beth am Dennis?'

'Beth amdano fe, Inspector?'

'Ond mae e wedi'i ladd—wedi marw! Beth ddigwyddodd iddo fe? Roedden ni'n disgwyl y byddech chi'n gallu rhoi gwbod i ni. A sut yr aeth y garej ar dân?'

'Mae'n ddrwg gen i, Inspector, ond doeddwn i ddim yma pan ddigwyddodd y pethau 'na—roeddwn i wedi mynd ŷch chi'n gweld.'

Unwaith eto edrychai fel geneth fach, ddiniwed iawn.

'Fe ddalioch chi'r trên un ar ddeg i Lunden? Ai dyna ŷch chi'n ddweud, Miss Huws?'

'Deng munud wedi un ar ddeg yw 'i amser e. Ac roedd e yn Paddington am chwech o'r gloch y bore. Fe gafodd Mrs Wilcox sioc i 'ngweld i, wir i chi.'

Edrychodd yr Inspector yn hir arni. Roedd rhyw olwg dosturiol ar ei wyneb a wnaeth i'r Sarjiant synnu braidd.

'A dyna'r cyfan, Miss Huws?'

'Ie.'

'Wyddoch chi ddim, felly, a oedd eich tad yn fyw neu yn farw pan redodd Dennis mas o'r garej?'

Ysgydwodd Olwen ei phen. Taflodd y Sarjiant lygad ar Mrs Huws; roedd hi'n plygu mlaen â'i llygaid ar wyneb Olwen. Yna meddyliodd iddo'i gweld yn ysgwyd ei phen yn ara bach. Ond wedyn ni allai fod yn siŵr.

Yna roedd yr Inspector ar ei draed. 'Diolch yn fawr i chi'ch dwy. Fe fyddwn ni am holi rhagor eto mae'n debyg —does dim arall y gallwn ni 'i 'neud nes byddwn ni wedi solfo'r dirgelion 'ma i gyd.'

Cododd Olwen ar unwaith ac aeth allan o'r ystafell heb aros i gynnig olwyno'i mam allan hefyd.

Yna roedd plisman wedi dod i mewn a chanddo amlen drwchus yn ei law.

'Riport o Fforensig, syr,' meddai.

'A! O'r diwedd! Nawr 'te gadewch i ni weld ble rŷn ni arni, Sarjiant Tomos!'

Eisteddodd eto wrth y bwrdd a thorrodd y sêl ar yr amlen. Bu'n darllen yn ddistaw am funud.

'Ha!' meddai wedyn. 'Roedd 'na fwlet ym mhen y *chauffeur*, Sarjiant. Ond mae amheuaeth ynglŷn ag achos marwolaeth Henri Teifi Huws. Mae bechgyn y Fforensig o'r farn mai llosgi i farwolaeth wnaeth e, ond bod rhaid cynnal rhagor o brofion . . .'

'Wel, ble rŷn ni'n sefyll nawr?' gofynnodd y Sarjiant.

'Rwy'n meddwl y byddwn ni'n gallu cau'r achos 'ma cyn diwedd y dydd heddi, Sarjiant.'

'O? Oes 'na ryw wybodaeth gennych chi nad oes gen i 'te?' Gwenodd yr Inspector arno a rhoddodd ei law ar ei ysgwydd lydan.

'Oes, Sarjiant, mae yna un pwynt bach—un tamaid o wybodaeth rwy i wedi'i gadw i fi'n hunan. Gobeithio y ca' i faddeuant am 'i gadw fe oddi wrthoch chi am ddwyawr arall. Pe bawn i wedi mynd i'r gwely'n weddol gynnar fel y gwnaethoch chi neithiwr, mae'n debyg na fu'swn i ddim wedi cael y tipyn cliw! Fe fyddwch chi'n chwerthin pan ddweda i wrthoch chi.'

Ond nid oedd y Sarjiant yn edrych yn hapus, yn wir roedd e'n edrych yn bur guchiog ac anfodlon.

'Pe bawn i'n siŵr—sicir 'i fod e'n gliw diogel, Sarjiant, fe ddwedwn i wrthoch chi. Ond wir i chi, mae e'n rhyw-beth mor syml—mor elfennol . . . mae e'n gneud i fi gredu fod rhaid bod rhyw *flaw*—rhyw dwll ynddo fe, ac y byddwn i'n gneud ffŵl ohono i'n hunan pe bawn i'n rhoi gormod o bwys ar y peth.'

'Dŷch chi ddim yn gwbwl barod i arestio neb, felly?'

'Na. Mae eisie cadarnhad arna i, Sarjiant—*corroboration* —dyma beth sy'n rhaid i ni gael cyn y gallwn ni fynd â'r llofrudd i'r Llys. Rwy i wedi penderfynu cael y teulu i gyd, y Cwc, a'r hen Gyrnol a'i wraig, a'r Garddwr at 'i gily' . . .'

'O, tipyn o steil Sherlock Holmes iefe, syr?'

Roedd ychydig bach o wawd yn llais y Sarjiant.

14

O'r diwedd, ar ôl tipyn o drafferth, roedden nhw i gyd wedi eu hel at ei gilydd i lolfa anferth y Plas, ac erbyn hyn roedd pob un wedi cael cadair i eistedd. Eisteddai rhai'n aflonydd iawn, ac edrychai bron pob un fel pe byddai'n well ganddo fe, neu hi, fod yn unrhyw le arall y funud honno nag yn lolfa Plas y Gwernos.

Roedd y Garddwr yn anesmwyth iawn, a'r Cwc hefyd. Roedd hi wedi dadlau fod yn rhaid iddi hi fod wrth ei gwaith, ac na allai fforddio'r amser i eistedd i lawr i wrando ar yr Inspector a'r Sarjiant. Ond roedd y plismyn wedi dangos tipyn o'u hawdurdod a'i gorfodi. Roedd Miss Marïa Jones yn aflonydd iawn hefyd, er ei bod hi'n eistedd ar un o gadeiriau mwyaf esmwyth y lolfa. Ac roedd yr hen Gyrnol Lewis ar bigau'r drain, a golwg ffyrnig iawn arno.

Yna daeth yr Inspector a'r Sarjiant i mewn. Roedd bwndel o bapurau dan gesail yr Inspector. Y rhain oedd datganiadau'r tystion neu'r *statements* fel y galwai'r plismyn hwy, yr adroddiad o'r Fforensig a mân nodiadau eraill.

Roedd bwrdd a dwy gadair wag ar eu cyfer. Eisteddodd y Sarjiant ar unwaith, ond safodd yr Inspector ar ei draed gan edrych o gwmpas yr wynebau o'i flaen. Disgynnodd distawrwydd dros y stafell fawr.

'Wel,' meddai, 'diolch i chi i gyd am ddod yma'r prynhawn 'ma i geisio'n helpu ni i ddod o hyd i'r person neu bersonau sy'n gyfrifol am yr hyn sy wedi digwydd 'ma.' Stopiodd am foment, yna aeth ymlaen eto, yn fwy difrifol.

'Mae'n deg i ni gredu, rwy'n meddwl, fod y person neu'r personau hynny *yma*'r funud 'ma . . . un neu ragor ohonoch chi.'

Aeth rhyw si trwy'r ystafell.

'Ie, rŷch chi'n synnu a rhyfeddu, ond rwy'n meddwl yn siŵr fod yr hyn ddwedes i yn wir. Yr unig gwestiwn, rwy'n meddwl, yw—Pwy?' Gwelodd hwy'n edrych ar ei gilydd. Roedd pawb yn amau pawb arall yn y lolfa'r funud honno.

'Mae'r rhan fwyaf ohonoch chi'n gwbod yn iawn beth sy wedi digwydd ac mae nifer ohonoch chi wedi rhoi eich tystiolaeth i'r Polîs. Ond er mwyn i ni i gyd wbod yn union faint o wybodaeth sy gynnon ni, fe af i dros y dystiolaeth sy wedi dod i law. Os bydd rhywrai ohonoch chi'n meddwl fod yr hyn rwy i'n ddweud yn anghywir, peidiwch â bod ag ofn dweud hynny. Wrth 'y nghywiro i fe fyddwch chi'n ein helpu ni i gael y pictiwr yn hollol glir. Nawr 'te, dyma fel y buodd pethe cyn belled ag y gwyddon ni . . .

'Echnos, ar ôl cinio yma yn y Plas, fe aeth Mr Henri Teifi Huws allan am dro wrtho'i hunan. Roedd hi bryd hynny'n mynd ymlaen am naw o'r gloch ac roedd hi'n noson olau leuad, wyntog. Mae Mr Idwal Huws wedi dweud wrthon ni iddo fe fynd ar ôl 'i dad. Roedd e'n awyddus i geisio ganddo fe roi benthyg swm o arian iddo. Fe ddaliodd 'i dad pan oedd hwnnw'n cerdded i fyny'r lôn i gyfeiriad y "Deer Park". Mae e'n dweud iddo gael sgwrs â'i dad ond i hwnnw wrthod yn bendant roi benthyg arian iddo. Wedyn, medde Mr Idwal Huws—a dim ond 'i dystiolaeth e sy gyda ni fan yma—fe aeth 'i dad yn 'i flaen i fyny'r lôn ac fe aeth ynte i gerdded o gwmpas wrtho'i hunan ar hyd rhyw lwybre eraill o gwmpas y Plas 'ma. Ddwedwn ni ddim rhagor am hynna nawr.

'Yn nes ymlaen fe wyddon ni fod Mr Henri Teifi Huws wedi cwrdd â'r Cyrnol Lewis. Wedi ei ddal e'n tresmasu ar dir y Plas, a dweud y gwir—mae'r Cyrnol wedi cyfadde hynny.'

Gwnaeth yr hen ŵr bonheddig ryw sŵn yn ei wddf ond ni ddywedodd air. Aeth yr Inspector ymlaen.

'Roedd gwn—dryll—gan Cyrnol Lewis—un a distewydd arno fe, ac roedd e ar drywydd ffesants. Fe fu geirie drwg rhwng Mr Huws a'r Cyrnol ac fe ddygodd Mr Huws y gwn oddi ar y Cyrnol. Wedyn fe aeth yn ôl ar hyd y lôn a'r gwn gydag e.

'Yn awr, o'r fan hon ymlaen does gynnon ni ddim gwybodaeth am 'i symudiade fe nes clywon ni gan Miss Olwen Huws 'i fod e'n siarad â'r cyn-*chauffeur*, Dennis Simpson, yn y garej. Yn ôl Miss Huws roedden nhw'n dadlau'n gas â'i gilydd ac yn y diwedd fe gydiodd Mr Huws yn Simpson a dechre 'i ysgwyd e. Wedyn fe ddig-wyddodd rhywbeth . . . fe gafodd Mr Huws 'i daro efallai, neu ei frathu. Mae'n well gen i gredu mai ei daro â sbaner mawr neu *wrench*, neu rywbeth trwm felly, oedd yn digwydd bod yn y garej, oherwydd dydyn ni ddim wedi dod o hyd i gyllell, nac unrhyw arf miniog. Beth bynnag oedd gan Simpson yn taro Mr Huws roedd yr ergyd yn ddigon i'w lorio fe, ac efalle i'w ladd e. Does yna ddim sicrwydd am hyn eto ond mae'r Adran Fforensig yng Nghaerfyrddin o'r farn mai llosgi a mygu i farwolaeth a wnaeth e. Os felly doedd y *chauffeur* ddim yn euog o lofruddio Mr Huws.

'Y dystiolaeth nesa sy gynnon ni yw tystiolaeth Mrs Williams y Cwc, a ddihunodd tua deuddeg o'r gloch y nos a gweld golau tân yn dod i mewn trwy'r ffenest. Roedd y garej yn llosgi'n ulw.

'Wedyn fel y gwyddoch chi fe ddaeth Miss Marïa Jones o hyd i gorff Simpson yn y llyn yn y Parc. Roedd e wedi cael ei saethu. Nawr 'te ar ôl clywed cymaint â hynna, oes rhywun yn barod i ddadlau, neu i ychwanegu rhywbeth at yr hyn ddwedes i?'

Edrychodd o un wyneb i'r llall. Ond roedd pawb yn fud.

'Oes gan rywun gwestiwn i'w ofyn?' gofynnodd yr Inspector wedyn.

Gwelodd yr Inspector Daniel y Garddwr yn codi ei law, fel plentyn bach yn yr ysgol yn codi ei law i dynnu sylw'r athrawes.

'Ie?' meddai'r Inspector, gan edrych arno braidd yn syn.

'Wel, Inspector, rwy i am gyfadde rhywbeth cyn i chi fynd ymhellach—yn enwedig nawr gan i chi sôn fod Simpson wedi ca'l 'i saethu . . .' Stopiodd y Garddwr ac edrychodd i gyfeiriad Mrs Huws trwy ei sbectol drwchus.

'Ie, ewch ymla'n,' meddai'r Inspector.

'Wel, syr, fe fuodd y Sarjiant yn holi—yn gofyn cwest-iyne ynglŷn â'r dryll oedd yn arfer bod yn y tŷ gwydr . . .'

'Ie.'

'Wel, syr, mae'n ddrwg gen i . . . y . . . mae'n ddrwg gen i gyfadde 'mod i wedi dweud celwydd wrtho fe.'

'O ie?' meddai'r Inspector yn sychlyd.

'Mae'r dryll yn y tŷ gwydr o hyd—wedi'i gladdu yn y pridd . . .'

'Wedi'i gladdu yn y pridd?' Ni wyddai'r Inspector beth i'w wneud o hyn. Ond aeth y Garddwr hanner-dall yn ei flaen yn fwy ffyddiog yn awr.

'Ŷch chi'n gweld, Inspector, roedd y dryll yn y tŷ gwydr am fod Mr Huws yn disgwl i fi saethu brain, piod a sguthanod pan fydden nhw'n dod i'r gerddi. Ond yn ddiweddar mae'n llyged i wedi mynd yn rhy ddrwg i fi weld yr adar heb sôn am 'u saethu nhw, ac fe . . . wel, fe

114

guddies i'r dryll yn y pridd yn y tŷ gwydr, fel na fydde
dim rhaid i fi saethu . . . pe bydde Mr Huws wedi gofyn i
fi ble'r oedd y dryll, rown i'n mynd i daeru na wyddwn i
ddim ble'r oedd e.'

A dweud y gwir, roedd yr Inspector wedi hen flino ar
stori'r Garddwr, oherwydd roedd adroddiad yr Adran
Fforensig yn dweud yn bendant mai bwled o'r gwn a
gafwyd yn y garej—sef gwn y Cyrnol—oedd wedi lladd
Simpson. Felly doedd ganddo ef ddim diddordeb o
gwbwl yn y gwn oedd yn gorwedd yn y pridd yn y tŷ
gwydr.

'Diolch yn fawr i chi, Daniel Ifans. Gobethio y bydd
rhai eraill yn y stafell 'ma'n dilyn eich esiampl chi ac yn
dweud yr hyn maen nhw'n wbod neu wedi 'i weld. Nawr
'te pwy sy nesa?'

Dim ateb.

'Gyda llaw, Daniel Ifans, fe gewch chi fynd nawr; dwy
ddim yn meddwl fod isie i ni'ch cadw chi ragor.'

'Mynd?' Cododd Daniel Ifans ar ei draed yn betrus. 'O
—y—diolch.' Yna aeth yn ofalus am y drws â'i gap yn ei
law.

Ar ôl i'r drws gau gofynnodd yr Inspector eto, 'Wel, oes
rhywun arall nawr, yn barod i 'neud *clean breast* ohoni?'

Cododd Millicent Lewis ei llaw wen, fodrwyog.
Edrychodd yr Inspector arni gyda diddordeb. A!
meddyliodd, fe gawn ni rywbeth gwerth wheil y tro 'ma.
Yn uchel dywedodd, '*Yes, Mrs Lewis?*'

'*Wel, I want to confess that I was in the grounds of the
Mansion at about 12.30 on the night . . . of the fire.*'

'*O, yes?*' Meddyliodd yr Inspector fod y cyfarfod a
wfftiwyd gan y Sarjiant yn dechrau talu am ei gynnal.

115

'*Yes. My husband couldn't sleep that night. He was worrying about his gun and about the row with Huws. And because he couldn't sleep, I couldn't either. He dropped off round about twelve o'clock and then I saw the light of the fire in the window. I got up, put on my dressing gown and slippers and went out. I stood by the greenhouse watching the flames leaping up . . . and . . . and I felt glad, Inspector, I will confess that too.*'

Roedd ei llygaid yn fflamio wrth ddweud hyn—yn dangos yn glir y digofaint a deimlai tuag at Henri Teifi Huws.

'*Then you were the apparition seen by Mr Idwal Huws's wife!*' meddai'r Inspector. '*Now think carefully, Mrs Lewis, did you see anybody—anybody at all in the grounds that night?*'

'*No one.*'

'*And what did you do then?*'

'*I went back to bed; a fire at the mansion was no concern of mine.*'

'*But didn't you think of ringing up the Fire Brigade?*'

'*No.*' Roedd yr un gair yn llawn dicter ystyfnig. Ysgydwodd yr Inspector ei ben. Rhaid bod digofaint y Cyrnol a'i wraig tuag at ddeiliaid newydd y Plas yn mynd yn ddwfn iawn, meddyliodd.

'*Besides, I could see it was only the garage,*' meddai Millicent Lewis, fel pe bai arni beth cywilydd erbyn ailfeddwl.

'*Mrs Lewis,*' meddai'r Inspector, '*if you have nothing more to tell us, I think you and your husband can leave . . .*'

Roedd yr hen Gyrnol ar ei draed mewn winc. Yna, fraich ym mraich â'i wraig, aeth allan.

Edrychodd Sarjiant Tomos yn syn ar ei bennaeth. Beth oedd e wedi'i wneud? Beth oedd e'n feddwl wrth adael i'r ddau yma fynd? On'd oedd yr adroddiad yn dweud mai â dryll y Cyrnol y cafodd Simpson ei ladd? Rhaid ei fod yn *gwybod* pwy oedd y llofrudd, meddyliodd, a theimlai'n ddig iawn ei fod wedi cadw'r wybodaeth iddo'i hunan. Rhaid mai rhywbeth a ddaeth i'r golwg yn ystod y nos oedd y wybodaeth yma—yn ystod y nos pan oedd ef, y Sarjiant, yn ei wely'n cysgu.

'Nawr 'te!' meddai'r Inspector, 'Oes na rywun arall yn barod i gyfadde rhywbeth, neu roi tystiolaeth . . .'

Dim ond y teulu a staff y Plas oedd ar ôl bellach, ac nid oedd yn ymddangos fod neb yn barod i ddwued yr un gair. Edrychent bob un fel pe baent yn benderfynol o gadw'u cyfrinachau iddynt eu hunain.

'Wel,' meddai'r Inspector eto, 'dyma'ch cyfle ola chi bob un.'

Dim un gair o enau neb.

'Fe wn i'n iawn fod rhai ohonoch chi'n cadw gwybodaeth yn ôl. Rwy'n meddwl, er enghraifft, eich bod chi, Mrs Williams, wedi nabod y person glywsoch chi'n chwerthin tu allan, pan oedd y garej yn llosgi—nid Mrs Millicent Lewis oedd hi, nage? Roedd honno wedi aros fan draw wrth y tŷ gwydr. Pwy oedd y person yna, Mrs Williams? Mae gen i syniad go lew.' Ni ddywedodd y Cwc yr un gair.

'A chi, Mr Idwal Huws, rŷch chi'n cadw rhywbeth 'nôl —roeddech chi'n nabod y person welsoch chi'n rhedeg heibio i dalcen y garej on'd oeddech chi? Fe ddwetsoch chi mai dyn oedd e—ond mae gen i syniad mai dynes oedd hi, pe baech chi'n cyfadde! Ond p'un o'r rhain sy yn y stafell 'ma oedd hi?'

Gwelodd y ddau blisman Idwal Huws yn taflu llygad pryderus ar ei fodryb Marïa.

'A! Eich modryb Marïa iefe, Mr Huws?'

'Ddwedes i ddim mo hynny!' gwaeddodd Idwal gan neidio ar ei draed.

'Na, ond hi oedd hi serch hynny. A hi glywsoch chi'n chwerthin o dan y ffenest ontefe, Mrs Williams?'

'Ie,' meddai honno. Roedd y cyfaddefiad wedi llithro allan bron heb yn wybod iddi. Edrychodd y Sarjiant ar wyneb ei bennaeth. Roedd golwg fodlon arno. Teimlai'r Sarjiant yn ddig o hyd, ond yn awr roedd e'n llawn edmygedd o'r Inspector hefyd. Roedd pen y daith yn y golwg bellach.

'Ac fe ddwedodd Miss Jones wrthon ni na fuodd hi ddim allan o gwbwl y noson honno. Felly dyna ni wedi'ch dal chi ar gelwydd, Miss Jones. Garech chi ddweud y cwbwl wrthon ni nawr? Ond cyn i chi wneud rhaid i fi'ch rhybuddio chi y gall unrhyw beth ddwedwch chi gael ei ddefnyddio yn nes ymlaen fel tystiolaeth yn eich erbyn chi mewn Llys Barn.'

Yr oedd smotiau coch, afiach ar wyneb Marïa a rhyw olau dieithr yn ei llygaid. Yna roedd hi'n parablu fel melin wynt.

'Mae'n stafell i wrth ben y garej fel ŷch chi'n gwbod, Inspector, ac rown i wedi clywed siarad uchel . . . Rown i'n meddwl mai Idwal a'i dad oedd yn cwympo mas . . . fe es i lawr wedyn . . . a mas . . . doedd dim sŵn dim byd yn unman erbyn hynny . . . na neb yn y golwg . . . ond roedd drws y garej ar agor . . . fe es i mewn . . . a dyna lle'r oedd e . . . yn gorwedd ar y llawr . . . a gwaed dros 'i wyneb e i gyd. Roedd e wedi marw . . . doedd e ddim yn cyffro . . . o . . . roedd golwg ofnadwy arno fe, wir i chi, Inspector.'

'Beth wnaethoch chi wedyn, Miss Jones?' Roedd llais yr Inspector yn dawel yn awr.

'Fe redes i mas . . . allwn i ddim edrych rhagor . . . rown i'n teimlo'n *faint*, wir i chi . . . fe bwyses ar wal y garej am dipyn bach . . . ac wedyn fe ddechreues i feddwl . . . fod Idwal wedi lladd 'i dad . . . dyna feddylies i ar unwaith, ŷch chi'n gweld, Inspector . . . roedd Henri wedi gwrthod rhoi'r arian iddo fe . . . a druan bach . . . roedd e wedi colli'i dymer . . . fel'na rown i'n meddwl ŷch chi'n gweld, Inspector . . . wedyn fe weles Idwal yn y gole leuad . . . a dyma fi'n rhedeg . . . down i ddim am iddo fe wbod 'mod i wedi gweld beth oedd wedi digwydd . . . fe es 'nôl i'r tŷ 'mhen tipyn . . . a lan i'r llofft . . . a fe fues i'n trio peintio . . . er 'i bod hi'n hwyr erbyn hyn . . . rown i'n teimlo dros Idwal . . . mae gen i olwg fowr ohono fe, Inspector . . . ac roedd 'i dad yn ddigon diffeth tuag ato fe, ŷch chi'n gwbod . . . ac fe ddechreues i feddwl beth fydde'n digwydd i Idwal nawr . . . ar ôl iddo fe 'neud y fath beth . . . down i ddim yn 'i feio fe, cofiwch . . . ond rown i'n ofni y bydde fe'n ca'l 'i ddala ac yn ca'l 'i . . .'

Roedd pob llygad yn yr ystafell ar Marïa, ond roedd ei llygaid hi'n sefydlog ar wyneb yr Inspector.

'Ewch ymla'n Miss Jones.' Roedd llais yr Inspector yn dyner, fel pe bai'n ofni ei tharfu a thrwy hynny roi taw ar y ffrwd geiriau.

'Allwn i byth fynd i'r gwely . . . fe danies i sigarét i dawelu'n nerfe, ŷch chi'n gwbod . . . down i byth yn smoco ar lawr . . . fe fydde Henri . . . ond rown i a Millicent yn lico smôc fach gyda'n gilydd . . . ac weithie pan fydden ni'n peinto . . . fe fydden i'n cymryd ambell un . . . ond rown i'n meddwl am gorff Henri lawr fan'na yn y garej . . . pe bydde hi'n bosib 'i guddio fe . . . wedyn fydde neb yn gwbod beth oedd wedi digwydd iddo fe . . . *missing person* fydde fe . . . rown i'n peinto llun o'r hydref . . . rŷch chi wedi'i weld e, Inspector . . . roedd Millicent wedi dweud fod lliwie'r hydre fel *lliwie tân* . . . roedd hi'n helpu lot arna i . . . wedyn fe es i lawr dros y stâr . . . welodd neb fi . . . a mas . . . i'r garej . . . roedd can mowr o betrol yn ymyl y drws bron . . . fe arllwyses y cwbwl . . . dros y lle i gyd . . . dros gorff Henri . . . wedyn—wrth fynd mas fe danies fatsien . . . weloch chi erioed shwd fflame'n neidio lan . . . rownd am y Rolls Royce nes bod y paent yn rhostio . . . fe ges i bwl bach o chwerthin . . . wrth weld y Rolls yn llosgi . . . roedd Henri yn arfer meddwl cymynt am y Rolls . . . roedd Martha . . . Mrs Williams ar y ffôn pan ddes i mewn i'r tŷ . . . welodd hi mono 'n mynd lan i'r llofft . . . rown i'n teimlo lot yn well ar ôl rhoi'r garej ar dân . . . rown i'n meddwl y bydde popeth yn llosgi'n ulw . . . a fydde neb yn gwbod llai na llosgi yn 'i garej 'i hunan roedd Henri wedi 'neud . . . a fydde neb yn meddwl mai Idwal oedd wedi'i ladd e. Ond . . . nawr . . . mae pethe'n wahanol . . . dwy ddim yn gwbod . . .'

Ysgydwodd ei phen yn ddryslyd. Yna cododd a rhedeg allan o'r ystafell. Cyn i neb gael amser i ddweud yr un gair torrodd sŵn y piano'n cael ei bwnio'n ddidrugaredd ar eu clustiau.

Edrychai'r Inspector fel pe bai wedi blino—fel pe bai straen y tridiau diwethaf yn dechrau dweud arno.

Edrychodd ar Idwal Huws â hanner gwên ar ei wyneb. 'Yr oeddech chi'n amau eich modryb, a hithau'n meddwl mai chi oedd yn euog, ac roeddech chi'n ceisio amddiffyn eich gilydd, on'd oeddech chi, Mr Huws?'

'Mae'n debyg,' meddai hwnnw.

'Fe gewch chi a'ch gwraig fynd nawr, Mr Huws, a chithe hefyd, Mrs Huws. Jim, ewch â hi os gwelwch chi'n dda.'

'Na!' meddai Edith Huws. Ond y tro hwn roedd yr Inspector yn benderfynol.

'Mae'n rhaid i chi fynd nawr, Mrs Huws, mae'n ddrwg gen i.'

Gwelodd y cochyn mawr yn edrych yn ffyrnig arno. Ond aeth Idwal at gadair olwyn ei fam.

'Dewch, Mam, gyda fi nawr, fel mae'r Inspector yn ddweud.'

Olwynodd y gadair allan o'i flaen. Dilynodd ei wraig a Jim o'r tu ôl. Yna gadawodd yr Inspector y staff i gyd ond Mrs Williams y Cwc, yn rhydd hefyd. Yna, gan droi at Olwen Huws, dywedodd:

'Wel, Miss Huws, fe wyddon ni bellach sut y bu eich tad farw, a phwy sy'n gyfrifol am ei farwolaeth. Ond mae un dirgelwch yn aros—sef pwy laddodd Dennis Simpson? Chi wnaeth hynny ontefe, Miss Huws?'

Roedd wyneb merch y Plas fel y galchen. Ni ddywedodd yr un gair i ateb cyhuddiad yr Inspector.

'Dwedwch y cyfan y tro 'ma nawr, Miss Huws. Fe fydd hi lawer yn well os gwnewch chi hynny, wir i chi.'

Roedd llygaid Olwen yn gwibio o un wyneb i'r llall, ac ynddynt yn awr yr oedd yr un golau dieithr ag a welwyd rai munudau ynghynt yn llygaid ei modryb Marïa.

'Roedd e wedi 'nhwyllo i . . . rown i wedi digio Nhad o'i achos e. Arno fe roedd y bai am yr hyn a ddigwyddodd, Inspector. Doedd dim hawl gydag e dwyllo fel'na . . . roedd e wedi dweud 'i fod e'n 'y ngharu i on'd oedd e? Does gan neb hawl i ddweud peth fel'na os nad ŷn nhw'n 'i feddwl e, oes e? Fuodd gyda fî ddim cariad o'r bla'n . . . a . . . 'nhwyllo i oedd e wedi'r cwbwl. Pan glywes i e'n gofyn am arian i Nhad am fynd *off* a 'ngadel i . . . fe ddaeth rhywbeth drosto i, ŷch chi'n gweld . . . roedd swn yn 'y mhen i fel . . . rwy i wedi'i ga'l o'r bla'n pan own i'n ferch fach . . .'

Edrychai'r Inspector yn dosturiol arni. Yna taflodd lygad ar y Cwc. Roedd dagrau'n cronni yn ei llygaid. Clywodd y Sarjiant yn chwythu ei drwyn yn swnllyd i'w facyn poced.

'Sut buodd hi, Miss Huws?' gofynnodd yr Inspector.

'Ar ôl i Dennis redeg mas o'r garej fe es i mewn i weld beth oedd wedi digwydd i Nhad. Roedd e'n gorwedd yn hollol lonydd . . . rwy'n meddwl 'i fod e wedi marw . . . wedyn fe weles y dryll . . .'

'Ac fe aethoch chi ar ôl Dennis Simpson, a'r dryll gyda chi?'

'Do, Inspector. Roedd e'n aros wrth y llyn yn y Parc . . . roedd golau leuad fel dydd bron . . . ac rown i'n gallu 'i weld e o bell—yn cerdded 'nôl a mla'n. Fe welodd fi'n dod wedyn, ond welodd e ddim mo'r dryll. Dyma fe'n

122

rhedeg ata i. "Rhaid i ni fynd ar unwaith," medde fe. Doedd e ddim yn gwbod 'mod i wedi gweld a chlywed y cyfan . . . Roedd y dryll o dan 'y nghot i a'r baril i fyny . . . fe ddechreuodd roi 'i ddwy fraich amdana i . . . fe wasges y triger . . . roedd y baril yn 'i wddwg e . . . fe roddodd naid i fyny a chwympo i'r dŵr . . . Wedyn fe redes i'n ôl. Wrth fynd heibio'r garej fe dafles y dryll mewn trwy'r drws . . . Arhoses i ddim rhagor . . . fe redes lawr y lôn . . . roedd y tacsi roedd Dennis wedi'i ordro yn disgwyl . . . ofynnodd y dreifer ddim un cwestiwn o gwbwl—dim ond agor y drws i fi. Fe fues i'n cwato yn y toilet ar y stesion nes daeth y trên . . .'

Tynnodd yr Inspector anadl hir. Roedd y cyfan drosodd a phob penllinyn wedi ei glymu'n daclus yn ei le, ac roedd dirgelwch Plas y Gwernos wedi ei ddatrys.

Diweddglo

Daeth Martha Williams, y Cwc, i mewn i'r ystafell lle'r eisteddai'r Inspector a'r Sarjiant yn unig erbyn hyn. Roedd ganddi ddau gwpanaid o goffi ar hambwrdd.

'A! Diolch yn fawr, Mrs Williams,' meddai'r Inspector, 'rŷn ni'n haeddu hwnna ar ôl y *press conference* ofnadwy 'na. Feddylies i na fydden nhw ddim yn gorffen holi cwestiyne.'

Ni ddywedodd y Sarjiant ddim. Yn wir, roedd e'n dal yn ddig tuag at ei bennaeth am gadw iddo'i hunan y wybodaeth oedd wedi dod iddo yn ystod y nos.

Gosododd Mrs Williams y ddau gwpan ar y bwrdd o'u blaenau. Roedd golwg ryfedd ar ei hwyneb—rhyw gymysgedd o dristwch a syndod at yr hyn oedd wedi digwydd i deulu Plas y Gwernos.

'Mrs Williams,' meddai'r Inspector, 'dŷch chi ddim wedi dweud y cyfan wrthon ni eto, ydych chi?'

'Beth ŷch chi'n feddwl, Inspector?'

'Y storïe y gallen ni 'u hadrodd, meddech chi—am Olwen Huws roeddech chi'n siarad; ŷch chi'n cofio?'

'Ie. Rwy'n cofio amdani'n lladd y gwningen ddof—un fach wen—roedd Idwal wedi 'i ga'l yn bresant. Fe'i gweles hi â'n llyged fy hunan . . . fe'i brathodd hi â siswrn yn 'i gwddwg. Roedd 'na rywbeth yn greulon fel'na ynddi, hyd yn oed pan oedd hi'n groten fach. Os bydde hi'n cael 'i chroesi fe fydde'n colli arni 'i hunan yn deg. Fe fuodd hi bron â dod i drwbwl mowr unwaith, ŷch chi'n gwbod. Yn Llunden roedden ni bryd hynny. Roedd 'na ferch fach yn byw drws nesa i'r *dairy* ac fe fydde hi'n ca'l dod i'r tŷ i chware gydag Olwen. Wel, un diwrnod fe aeth honno â dol Olwen ac wrth chware, fe ddaeth pen y ddol yn rhydd. Oni bai i fi a'i mam ddod mewn i'r stafell wn i ddim beth fydde wedi digwydd. Roedd Olwen â'i dwy law'n dynn am gorn 'i gwddwg hi ac roedd wyneb y ferch fach wedi mynd yn biws a'i thafod hi'n stico mas. Fe gadwon ni'r cyfan oddi wrth 'i thad ar hyd y blynyddoedd rywfodd neu'i gilydd.'

Aeth Mrs Williams am y drws. Disgwyliai y byddai'r Inspector yn galw arni 'nôl i holi rhagor arni, ond ni wnaeth.

'Rŷch chi'n ddistaw iawn, Sarjiant Tomos,' meddai.

'Beth sy i' ddweud?' atebodd hwnnw. 'Mae'r cês wedi

dod i ben, ac rŷch chi wedi dod i ben â'i solfo fe'n glyfer iawn, os ca' i ddweud hynny, syr.'

Gwenodd yr Inspector. 'Ydw i'n iawn yn credu eich bod chi'n dala peth digofaint o hyd am i fi gadw'r cliw bach 'na oddi wrthoch chi?'

'Wel, gan ein bod ni'n cydweithio ar y cês o'r dechre . . . gyda llaw, syr, oes modd i fi gael gwbod *nawr* beth oedd e—gan fod y cyfan drosodd?'

Chwarddodd yr Inspector.

'Fe ddweda i wrthoch chi, Sarjiant Tomos. Pan ofynnes i i Olwen Huws yn y car wrth ddod o'r stesion—"Pwy laddodd Simpson y *chauffeur*?" fe ddwedodd—"Dwy ddim yn gwbod." Ond ddylai hi ddim bod yn gwbod fod Simpson *wedi* ei ladd. Fe ddylai hi fod wedi synnu at y ffaith, ond fe ddwedodd nad oedd hi ddim yn *gwbod*—fe aeth ymhellach a dweud rhywbeth fel "Does gen i ddim syniad, wir i chi." O'r foment honno yn y car fe benderfynes i mai hi oedd wedi'i ladd e. Wrth gwrs, fe allwn fod ar drywydd hollol anghywir, ac roedd dirgelwch y tân a marwolaeth 'i thad yn aros o hyd.'

'Rhaid i fi'ch llongyfarch chi 'to, syr, ar eich gorchest—roedd e'n achos cymhleth iawn.' Roedd y Sarjiant yn swnio'n onest y tro hwn.

Cododd yr Inspector ar ei draed a rhoi ei law ar ysgwydd y Sarjiant. '*Ni*, Sarjiant, chi a fi.'

Ysgydwodd y Sarjiant ei ben. 'Na, chi solfodd yr achos 'ma, syr, chware teg.'

Llyncodd yr Inspector y dafnau olaf o'i goffi.

'Na,' meddai wedyn, 'ydych chi wedi anghofio beth ddwedsoch chi'r noson gynta—pryd oedd hi dwedwch? Echnos? Fe ddwedsoch nifer o bethe a gafodd 'u profi'n wirionedd wedyn. Fe ddwedsoch fod yna gorff yn y garej, ac am yr *elopement* fu bron â dod *off*. Roeddech chi ar 'i gwar hi drwy'r amser, Sarjiant. Ŷch chi'n gweld, mae gynnoch chi rywbeth gwerthfawr iawn.'

'Beth ŷch chi'n feddwl, syr?'

'Greddf, Sarjiant Tomos, greddf. Fe ddewch chi mla'n yn yr Heddlu oherwydd y gallu 'na i synhwyro pethe sy gyda chi, gewch chi weld!'

'Twt!' meddai'r Sarjiant, ond roedd e'n gwenu'n swil erbyn hyn.

Yna rhoddodd yr Inspector ei law ym mhoced ôl ei drywsus a thynnodd allan hanner coron.

'Dyma chi, Sarjiant, dyma fi'n talu'r bet fuodd rhyngon ni ynghylch a oedd corff yn y garej neu beidio.'

Rhoddodd yr hanner coron ar y bwrdd o flaen y Sarjiant.

'Yfwch eich coffi,' meddai, 'mae gyda ni waith i'w wneud. Mae gwaith y Polîs fel gwaith gwraig tŷ, Sarjiant —dyw e byth yn dod i ben.'